LE PEUPLE
MIGRATEUR

LE PEUPLE MIGRATEUR

JACQUES PERRIN

TEXTE DE

JEAN-FRANÇOIS MONGIBEAUX

PRÉFACES DE

JACQUES PERRIN ET JEAN DORST

PHOTOGRAPHES GALATÉE FILMS

MATHIEU SIMONET

RENAUD DENGREVILLE

GUILLAUME POYET

RENAN MARZIN

SEUIL

© Éditions du Seuil, 27, rue Jacob, 75006 Paris, 2001

ISBN : 2-02-050566-5

www.seuil.com

aturaliste, c'est ainsi que Jean Dorst préférait se définir.

Héritier du siècle des lumières, de ceux qui ont la joie de découvrir et le bonheur de transmettre.

Il ne professait d'autres lois que celles de la nature, et sa science exprimée, accessible à tous, prenait la forme de contes.

Pour comprendre les migrations des oiseaux, sa démarche scientifique empruntait les chemins de la poésie.

Élucider un mystère, résoudre une énigme, c'était aussi, pour lui, prendre le risque d'effacer une part de rêve.

Il pouvait être hésitant, face à ceux qui veulent tout savoir sans avoir été préalablement d'attentifs observateurs.

«Allez, regardez, écoutez, essayez de comprendre, et peut-être je vous en dirai davantage», tels auraient pu être ses préceptes.

Seule l'émotion le conduisait à la compréhension.

La nuit, s'il regardait les étoiles, c'est parce qu'il savait que cette nuit-là, au-dessus du tumulte de Paris, une grande troupe de grues ou d'oies sauvages traçait vers d'autres horizons.

Si d'autres en étaient aussi les témoins, lui connaissait leurs destinations.

SOMMAIRE

Au-dessus des plus hauts remparts l'oiseau traverse le ciel. Sa trajectoire est espérance. Devant lui l'horizon s'enfuit. Seul l'imaginaire peut le rejoindre et le dépasser. Complice des étoiles, il est guidé par leur mouvement et a les mêmes repères que ceux empruntés par les navigateurs.

Glissant dans l'azur, il affronte les vents violents, les tempêtes, les plus grands froids, les chaleurs torrides, les brumes et nuages qui lui cachent toute perspective de salut. Il ne s'en remet qu'à sa détermination que lui dictent les saisons. Il lui faut vaincre à tout instant.

À l'oiseau qui nous fait rêver, répond l'oiseau qui nous donne l'exemple d'un permanent combat pour la vie. Il n'est sur la branche qu'un instant; dès son envol, intempéries et prédateurs l'agressent.

Si les chemins du ciel sont majestueux, ils n'en sont pas moins redoutables.

Nous ne mesurons pas l'exploit qu'il réalise lorsque nous le voyons sillonner le ciel de nos campagnes, caresser d'un vol furtif nos champs et vallons fleuris. Des milliers de kilomètres sont déjà derrière lui et il lui en reste autant pour réapparaître, là-bas, sous une autre latitude, au-delà des étendues océanes, aux confins de déserts réputés pour être infranchissables.

Comment fait-il?

La transmission du savoir est innée chez les animaux. Les oiseaux savent s'alimenter, jouer, marcher, voler, s'enfuir à l'approche du danger, en quelques jours ou semaines après leur naissance.

En peu de mois ils savent identifier la route aérienne qui ne leur a jamais été indiquée.

Ils savent ce que nous avons peut-être primitivement su, puis oublié, et que nous nous efforçons de réapprendre. Le secret des saisons, celui des pôles magnétiques, des étoiles, des marées leur est acquis dès leur apparition à la vie. Dans l'œuf ils reçoivent les codes d'accès aux grands secrets des mécanismes de l'univers.

Peu de temps leur suffit pour savoir ouvrir les portes des plus lointains horizons.

Comme cloués au sol, regardant les oiseaux passer dans le ciel, nous avons entrepris le tournage du film. Il nous fallait aller loin et haut, plus près des oiseaux, à proximité des étoiles.

Comment pouvions-nous faire? L'homme rêve à l'oiseau depuis la nuit des temps. Comment imaginer être parmi les tout premiers à pouvoir transformer ce rêve universel en réalité. Toujours, je garde le souvenir de la première fois où nous y sommes parvenus… Le cameraman suivait les évolutions des bernaches, d'une main l'assistant écartait celles qui se rapprochaient trop près de la caméra, et, de l'autre, il corrigeait le point de l'objectif. Toute la pellicule de la bobine défila.

Radieux, quelques larmes aux yeux, ils me regardèrent, sans aucun mot, aucun signe.

Peu importait la maîtrise et le résultat technique, ils avaient été pour la première fois dans la confidence des oiseaux dans leur vol.

JACQUES PERRIN

Oies à tête barrée en Extrême-Orient.

Envol d'une troupe d'oies des neiges,
cap Tourmente, Québec, Canada.

Un hymne à la vie

Par Jean Dorst, de l'Institut

Un soir d'automne, je traversais le Jardin des plantes, en plein cœur de Paris. Plongé dans mes pensées, je n'avais pas remarqué que les promeneurs, attardés avant la nuit, avaient tous les yeux tournés vers le ciel.

Dans un azur à peine voilé de brume, une escadrille de grues survolait la capitale. À leur altitude, les grands oiseaux, encore éclairés par les derniers feux du soleil couchant, paraissaient vêtus d'or. Ces hardis voyageurs, en formation de vol, se hâtaient vers leurs quartiers d'hiver.

Cette irruption de la vie sauvage faisait se mêler le merveilleux du spectacle aux mystères des migrations animales.

Depuis des temps immémoriaux, les hommes avaient noté la présence et l'absence alternées d'une multitude d'oiseaux en un même lieu. Ils avaient observé leur venue au printemps et leur disparition dès les premiers frimas. *L'Iliade* rapporte les cris éclatants et l'agitation des grues « avant de traverser l'impétueux océan ». Aristote, le plus célèbre naturaliste de l'Antiquité classique, évoque les mouvements périodiques de la gent ailée. Même la Bible parle de l'épervier qui, prenant son envol dès l'automne, s'élance vers le midi.

Mais on savait aussi que, dès l'arrivée du froid et des intempéries, de nombreux animaux entrent dans une profonde torpeur et ne se réveillent qu'une fois les beaux jours revenus. Grenouilles, lézards et même quelques mammifères, loirs et marmottes entre autres, se retirent dans des abris qu'ils choisissent avec soin et y sommeillent pendant les mois d'hiver. Pourquoi n'en serait-il pas de même des oiseaux ? Au Moyen Âge, et même bien après, on crut en une véritable hibernation des oiseaux qui disparaissent dès l'automne. Quelques chroniqueurs, pourtant fidèles observateurs de la nature, rapportent la découverte d'amas d'hirondelles inertes quoique vivantes, que des pêcheurs ramènent dans leurs filets. Elles sont réputées s'être immergées sous l'eau des marécages.

Quelle ahurissante erreur, en contradiction formelle avec tout ce que l'on présumait déjà de la physiologie de l'oiseau ! Elle persista des siècles durant : même l'illustre Georges Cuvier laisse entendre que les hirondelles peuvent s'engourdir et passer l'hiver au fond de quelque marécage. C'était oublier que l'une des caractéristiques fondamentales des animaux réside dans leur mobilité, une faculté mise à profit par nombre d'entre eux pour se trouver toujours dans les conditions propices à leur survie tout au long de l'année.

Leurs déplacements sont d'ordres très divers. Seuls méritent le nom de migrations ceux qui interviennent périodiquement, le plus souvent selon un rythme annuel, entre deux aires fréquentées à des époques différentes : le lieu où l'animal se reproduit, qualifié de patrie, et un autre où il se réfugie pendant la saison devenue défavorable dans le premier. Bien des animaux se déplacent ainsi au fil des saisons, quelques papillons, de nombreux poissons et les baleines au sein des mers, les antilopes et les éléphants à travers les savanes d'Afrique, les caribous dans les toundras arctiques. Les oiseaux, cependant, sont de loin les migrateurs les plus universellement connus. Incomparables voyageurs, ils se déplacent vite et loin avec grande économie d'énergie : fendre l'air exige infiniment moins d'efforts que déambuler pesamment sur de longues voies terrestres. Certains ne parcourent que de courtes distances ; d'autres se rendent des pays froids ou tempérés jusque sous les tropiques.

D'autres encore, comme les sternes, si poétiquement appelées aussi hirondelles de mer, n'hésitent pas à se rendre d'un pôle à l'autre, parcourant en un an plus de 15 000 km de leur vol papillonnant.

Et quelques albatros auront fait le tour du monde, emportés par les vents, rivalisant ainsi avec les navigateurs du « Vendée Globe », avant de regagner l'île minuscule, perdue au milieu des mers, où ils vont se reproduire à nouveau.

La Terre entière se couvre ainsi d'un réseau dense de voies qui s'entrecroisent d'un continent à l'autre, à travers les plus redoutables des océans. Des myriades d'oiseaux de toutes espèces participent à ce fastueux ballet planétaire. Leurs routes ont beau être jonchées de millions de cadavres – ceux des victimes des tempêtes, des vents de sable, d'inanition ou dévorées par les prédateurs à l'affût –, c'est le prix qu'ont à payer les populations et les espèces pour se perpétuer.

On connaît mieux maintenant le calendrier des migrateurs, les itinéraires choisis par chaque espèce et chacune de leurs populations en fonction de ses exigences et de ses aptitudes. On sait d'une manière satisfaisante où les oiseaux se reproduisent et où ils passent la mauvaise saison, manifestant une fidélité rarement démentie à des aires lointaines, largement séparées. Les migrations des oiseaux ont ainsi peu à peu perdu de leurs mystères sans que nos étonnements n'en soient pour autant diminués. De nombreuses questions demeurent sans réponse. La nature, à coup sûr, nous réserve des surprises.

Laissons les ornithologues à leurs travaux, aussi passionnants soient-ils. Au fil des pages de cet ouvrage, suivons plutôt les oiseaux tout au long de leurs périples, avec l'univers pour théâtre. Grâce à de merveilleuses images, sans trucage ni artifice, toutes empreintes d'une ineffable poésie, nous les surprenons en pleine action, muscles tendus, les ailes battant l'air en direction de leurs quartiers d'hiver ou de leur pays d'origine, où, avec le printemps, ils connaîtront de nouvelles amours. Sur des milliers de kilomètres, ils vont peiner d'élégante manière, affronter la tempête de l'océan et la désolation du désert.

Un bocage en Basse-Normandie, France.

Oies à tête barrée
en Asie centrale.

Bernaches nonnettes au-dessus
du désert islandais.

Oies des neiges à l'atterrissage,
cap Tourmente, Québec, Canada.

Cygnes chanteurs en migration.

Ces images ont valeur de documents. Parfaitement véridiques, elles ont été obtenues par des méthodes que ne réfute aucun homme de science. Mais elles ont en même temps une formidable dimension artistique et émotionnelle. Rien qu'à feuilleter cet ouvrage, il me semble entendre le sifflement de l'air fouetté par des ailes déployées ou les mille bruits qu'émettent les voyageurs avant de s'élancer pour la prochaine étape.

Jamais nous n'aurons participé aussi intensément à la phase la plus aventureuse de la vie des oiseaux.

Pour tourner *Le Peuple migrateur*, le merveilleux film qui est à l'origine de ce livre, Jacques Perrin a su créer une solide équipe, où se côtoient hommes de cinéma et ornithologues, en parfaite cohésion et harmonie. Il est depuis longtemps connu pour son approche du monde animal. Les films ayant pour acteurs de prestigieux primates ou des espèces d'apparences plus modestes, les insectes de nos campagnes, nous ont enchantés. En abordant le royaume des oiseaux, il avait conscience que c'est, de toutes les communautés terrestres, la plus difficile à pénétrer. L'oiseau se meut dans un univers à trois dimensions ; il est fugace, parfois imprévisible et, de plus, fréquente des milieux où les hommes ne le suivent que difficilement. L'observateur avisé le trouve le plus souvent là où il le cherche ; l'oiseau ne fait presque jamais ce que l'on attend de lui au moment opportun. Et il faut tenir compte des aléas du travail en pleine nature : ce n'est pas la saison adéquate, variable d'une année à l'autre, ou la météo est franchement exécrable au moment du tournage, bouleversant le comportement des oiseaux et le programme des cinéastes. Enfin, suivre les migrateurs en vol, en fait voler à leurs côtés, exige des ajustements techniques ne modifiant jamais les allures de l'oiseau sauvage. Jacques Perrin et ses équipiers, dont j'ai eu le bonheur de suivre le travail, ont su mettre en œuvre les techniques les plus perfectionnées, tout en respectant scrupuleusement la spontanéité des oiseaux sauvages.

Le film *Le Peuple migrateur* et ses images sont ainsi un hymne à la vie et sa dynamique, au-delà d'un simple témoignage sur les aspects les plus aventureux de la saga des oiseaux. Il nous plonge en plein cœur du cycle saisonnier des plus mobiles de tous les animaux. Que Jacques Perrin et ceux qui ont œuvré à ses côtés voient ici la reconnaissance des amoureux des choses de la nature, bien plus encore l'expression de leur émerveillement. Le très beau texte de Jean-François Mongibeaux accompagne brillamment cette suite de fastueuses images.

En refermant cette épopée des migrateurs, il me semble voir notre planète disparaître sous un réseau d'une infinité de voies, le long desquelles se déplacent, de saison en saison, des myriades de voyageurs ailés, selon un rythme immuable et changeant à la fois. L'image même de la vie et du dynamisme de chacune de ses manifestations.

JEAN DORST,
de l'Académie des sciences

Cygnes chanteurs en Extrême-Orient.

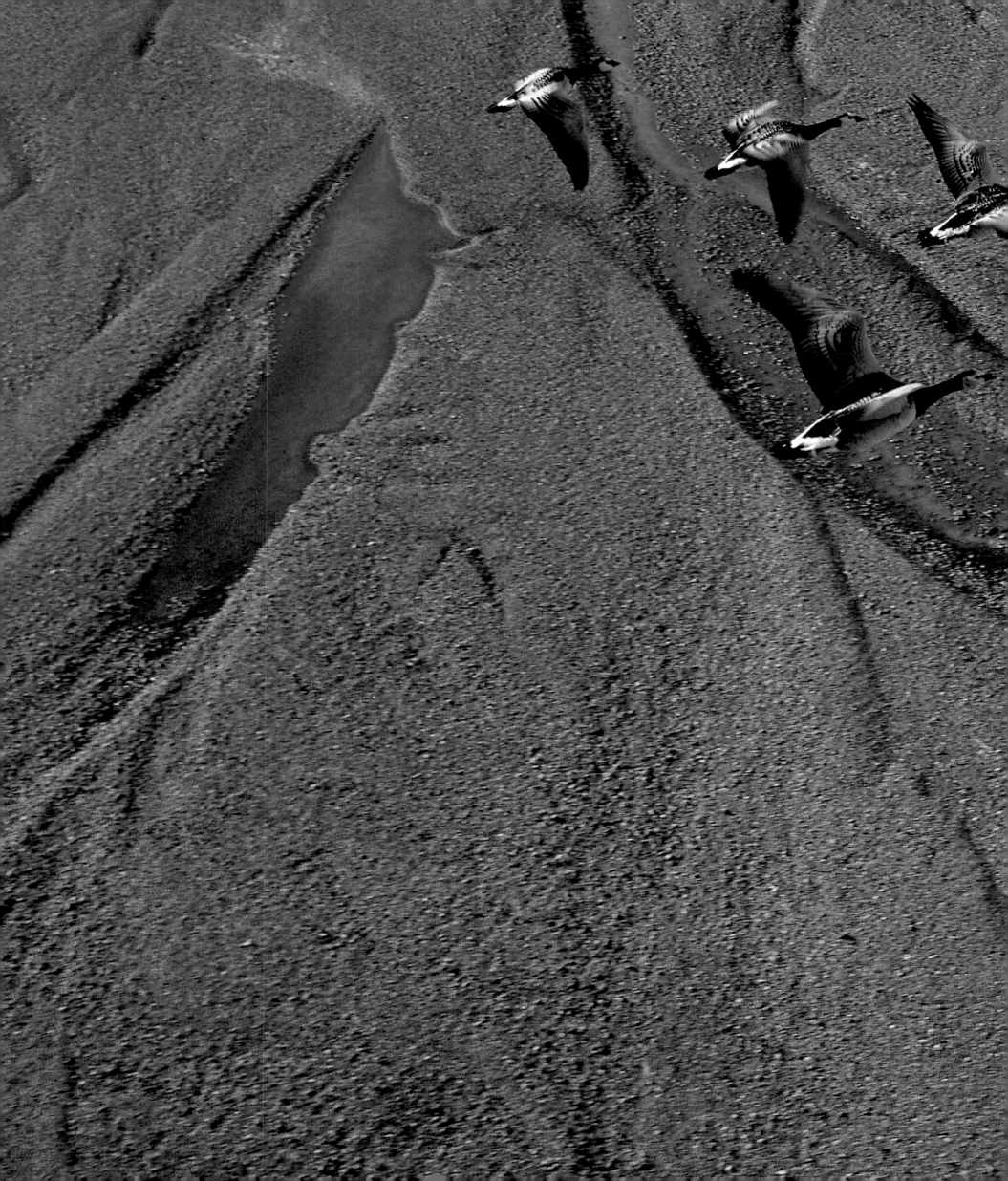

« Dieu créa tous les oiseaux selon leur espèce,
et il vit que cela était bon… »

La Genèse

Lorsque l'oiseau paraît

Couple d'albatros hurleurs au nid,
île Crozet.

Bande d'étourneaux volant vers leur
dortoir hivernal dans le Jura, France.

Fous de Bassan à Skrudur
en Islande.

Fous de Bassan planant au-dessus
de leur colonie, Islande.

Flamants roses
dans le ciel brésilien.

*Qui n'a entendu
au printemps le chant
du rouge-gorge ?*

Ses notes cristallines signalent sa présence.

Perché sur une basse branche, il sursaute de façon saccadée, comme prêt à prendre son envol, mais ne quitte pas son perchoir.

Son jabot plastronné de roux vif se gonfle à chaque chant. Avec de courts battements d'ailes, il se laisse choir sur le sol recouvert d'humus. Sautillant sur ses fines pattes, il picore ici une araignée, là un vermisseau. Découvrant une flaque d'eau, le petit oiseau s'y ébroue, ébouriffant les plumes brunes de ses ailes. Soudain, il s'immobilise, inquiet et, d'un seul trait, regagne sa branche, se posant exactement au même endroit.

De cet observatoire bien dégagé, le rouge-gorge lance à nouveau sa mélodie aux quatre coins du vallon.

L'histoire du *Peuple migrateur* commence par ce chant.

En ce printemps du rouge-gorge, la nature se réveille. Des papillons légers se posent sur les premières fleurs. Et les oiseaux – qu'ils soient sédentaires ou grands voyageurs comme les oies sauvages qui viennent de se poser en bandes cancanantes non loin du territoire du rouge-gorge – se préparent aux amours.

Dans le bocage, la femelle fait son nid. Voletant de-ci, de-là, ramenant dans son bec herbes, crins et mousse, l'oiseau accomplit avec une énergie infatigable son grand œuvre.

Où qu'ils soient dans le monde, à l'exception de quelques espèces, tous les oiseaux font leur nid.

De l'Arctique à l'Antarctique, de l'Europe aux Amériques, de l'Asie à l'Afrique, tout au long des printemps qui se succèdent à travers la planète, ils obéissent, chacun à sa façon, à la même grande loi venue du fond des âges.

Le rouge-gorge du bocage, petit cicérone à plumes, nous fait pénétrer dans le monde des oiseaux. Perché sur sa branche, il occupe désormais son poste de chant. Fièrement juché là, il remplit trois missions :

– surveiller son territoire, un secteur de taillis et de prés s'étendant sur quelques centaines de mètres carrés ;

– dissuader tout autre mâle rouge-gorge d'y pénétrer ;

– enfin, et surtout, inviter les femelles rouges-gorges à le rejoindre.

Son chant a en effet une particularité étonnante, comme ceux de tous les oiseaux du monde, ou presque : il est, dans le même temps, dissuasif pour les mâles et incitatif pour les femelles.

Dans le printemps qui s'annonce, la sentinelle à plumes prodigue inlassablement ses appels à l'amour.

Dans la campagne avoisinante, mille oiseaux se sont appariés. Certains, comme les traquets motteux, sont venus de loin, de très loin, pour procréer ici même, comme le firent leurs parents. Les oies qui ont fait escale dans le bocage ont retrouvé plus au nord les sites de nidification traditionnels que leur espèce fréquente depuis la nuit des temps.

Dans le nid du rouge-gorge, se serrent quatre oisillons nus et aveugles. Bec ouvert, ils crient famine. Les parents rouges-gorges, comme pris de frénésie, font des allers-retours incessants du bocage au nid, insectes ou vermisseaux dans le bec. À ce régime, les oisillons vont vite multiplier leur poids par quatre, puis par huit, passant de deux grammes à plus de quinze. Au bout de deux semaines, couverts de plumes, ils quittent un par un le nid. Sous le regard des parents, les petits rouges-gorges passent de branche en branche. Quelques jours plus tard, enhardis, ils font le grand saut dans le vide pour apprendre à voler. Voler ! Le ciel s'ouvre à eux. Petites boules aux ailes battantes, les oisillons passent d'un buisson à l'autre, tombant parfois au sol pour recommencer aussitôt leur épreuve.

Au prochain printemps, l'un d'eux, peut-être, lancera-t-il ici même son appel pour que tout recommence.

Marcher, nager, voler ! La terre, l'eau et l'air ! C'est sur les trois éléments que va se poursuivre la grande aventure dans laquelle nous entraîne *Le Peuple migrateur.* Après leurs migrations nuptiales de printemps, les oiseaux vont revenir à l'automne vers leurs zones d'hivernage. Par-dessus les campagnes et les montagnes, les continents et les océans, ils vont s'envoler par milliers, par millions, se suivant, parfois même se croisant dans d'innombrables ballets aériens. Certains entreprennent ces voyages en solitaires, comme le coucou ; d'autres, les plus nombreux, collectivement, telles les oies sauvages.

Le coucou gris, que l'on rencontre dans *Le Peuple migrateur,* est l'un des plus mystérieux volatiles du

monde. On dirait un petit épervier. Changeant souvent d'affût, il se tapit dans l'épaisseur du feuillage. Ce qui l'intéresse, ce sont les nids. Mais pas n'importe quels nids : en l'occurrence ceux des rousserolles, un petit oiseau fauve à l'allure enjouée.

Soudain, le coucou se rue sur une roselière. Il sait que là se cache un nid occupé par cinq œufs vert pâle. L'intrus n'a pas de temps à perdre : il gobe prestement l'un des œufs et pond le sien parmi les quatre restants. Quoique légèrement plus gros, celui-ci ressemble aux autres. Sa tâche accomplie,

Rouge-gorge en chemin pour nourrir ses poussins.

Curiosités

- *L'autruche est l'oiseau qui pond le plus gros œuf : près de 2 kg, c'est-à-dire environ 1 % de son poids. Mais c'est le kiwi d'Owen, un ratite (oiseau ne volant pas) d'Océanie, qui détient le record en proportion taille de l'œuf/poids de l'oiseau : son œuf pèse 380 g, soit 25 % de son poids.*

- *Chez l'émeu, un oiseau d'Océanie, c'est le mâle seul qui prend soin des jeunes : il les couve la nuit et les promène le jour. La femelle assure la protection des parages, très agressive envers tout intrus.*

Curiosités

- *La sterne néréis pond son unique œuf en équilibre sur une branche d'arbre horizontale.*
- *Les mégapodes, des oiseaux d'Australie, de Nouvelle-Guinée ou des Philippines, ne s'occupent pas de leur progéniture. Dès leur éclosion, les poussins se débrouillent seuls.*
- *Les martinets de palmes collent des plumes sur une feuille verticale en forme de demi-coupe pour confectionner leur nid. Ils y feront adhérer un œuf qu'ils couveront à tour de rôle dans une position verticale. En naissant, les oisillons sont pourvus de griffes crochues leur permettant de rester agrippés sur ce « nid », même en cas de vent.*

le coucou file vers sa cachette. Il était temps, la femelle rousserolle revient assurer sa couvaison. Elle s'installe sur les œufs sans manifester de réaction.

Durant quelques jours, la femelle coucou espionnera de loin le nid, pour contrôler que tout se passe bien. Cela ne l'empêche pas, pendant ce temps, de recommencer ailleurs son manège, allant pondre dans d'autres nids de rousserolles, jusqu'à vingt œufs à la suite !

Au terme de son marathon de reproduction par procuration, la femelle de coucou gris, par une nuit d'été, va s'envoler à tire-d'aile vers le sud, comme l'avait fait avant elle le mâle furtif l'ayant fécondée.

Au bout de douze jours, un petit coucou va naître dans le nid des rousserolles (généralement deux ou trois jours avant les autres oisillons). Nu et aveugle, le poussin sait déjà qu'il a une mission vitale à accomplir ; dans les heures qui suivent sa naissance, il va charger un à un sur son dos les œufs restants et les jeter par-dessus bord, s'arc-boutant sur les parois du nid. Pour cet oisillon de quelques grammes, c'est un effort considérable à accomplir. Il va soulever des poids presque aussi lourds que lui. Pour y parvenir, il y consacre chaque fois de trois à quatre minutes.

Jamais repu, le jeune coucou profite du dévouement aveugle de ses parents adoptifs pour prendre rapidement du poids. Les autres oisillons, s'il en reste, mourront vite d'inanition. Leurs corps squelettiques seront rejetés à l'extérieur du nid. L'envahisseur est si bien programmé qu'il serait capable, affirment certains observateurs, d'imiter à la perfection les appels déchirants des petites rousserolles réclamant leur pitance, criant à lui seul plus fort que la nichée absente.

Chaque femelle coucou parasite ainsi une espèce d'oiseaux bien déterminée : accenteur mouchet ou troglodyte, rouge-gorge ou bergeronnette, phragmite des joncs ou rousserolle, et bien d'autres passereaux. Les espèces ainsi parasitées sont estimées à plusieurs dizaines, des espèces dont la femelle coucou imite chaque fois l'aspect des œufs. Ces mimétismes sélectifs, les mères vont les

Bruant à gorge noire, îles Malouines.

transmettre à leur progéniture, perpétuant ainsi de véritables lignées de «coucous rousserolles», de «coucous rouges-gorges» ou de «coucous fauvettes» qui ne seront attachés qu'à l'espèce parasitée, et jamais à une autre.

Dans le nid, au bout de près de quatre semaines, le jeune coucou est devenu énorme. Il pèse une centaine de grammes alors que ses parents adoptifs ne pèsent chacun que trente grammes. Mais bien qu'amaigries et épuisées, les rousserolles lui restent toujours aussi dévouées.

Un beau jour, l'oiseau quitte le nid et va s'aguerrir au vol dans les environs sans avoir bénéficié d'aucun apprentissage. Puis, au terme d'un séjour discret dans la région, le jeune coucou accomplira à son tour le grand voyage vers le sud. Un voyage qu'il effectuera de nuit en solitaire. Un voyage de plusieurs milliers de kilomètres qui le mènera, par-dessus la Méditerranée et le Sahara, dans les forêts de l'Afrique de l'Ouest ou de l'Afrique centrale où il passera l'hiver sans trop se montrer. Au printemps suivant, ce coucou va revenir, seul et de nuit, là où il a vu le jour. Il y lancera son fameux appel, un chant bien à lui pour une fois. Un chant destiné à trouver une femelle venue à son égal du fin fond de l'Afrique, et qu'il abandonnera aussitôt après l'avoir fécondée.

L'énigmatique coucou est l'un des oiseaux les plus solitaires du monde.

Les bernaches nonnettes sont, elles, des modèles de sociabilité. Petites oies gris pâle au ventre clair, facilement reconnaissables par leur large

Jeune coucou nourri par sa mère adoptive, une rousserolle effarvatte, en Franche-Comté, France.

Curiosités

• *Les inséparables, de petits perroquets africains, portent bien leur nom : si l'un des deux meurt, il peut arriver que l'autre ne lui survive pas plus de trois jours.*

• *Les hirondelles peuvent parcourir plusieurs centaines de kilomètres par jour pour nourrir leurs petits, les martinets allant jusqu'à effectuer un millier de kilomètres quotidiens, et les mésanges bleues une centaine de kilomètres à raison d'une quarantaine d'allers-retours à l'heure.*

masque blanc, elles traversent le nord de l'Atlantique par milliers, au printemps, pour aller nicher dans le Grand Nord.

Bravant le mauvais temps, les voici sur les côtes du Groenland.

Des lambeaux de neige s'accrochent encore à la toundra.

Sur des falaises en escalier dominant une rivière, un petit groupe se pose, ailes arquées, pattes en avant. Tous ces couples déjà appariés, fidèles depuis qu'ils se sont formés, vont confectionner leurs nids, dispersés largement sur les plates-formes rocheuses bien à l'abri des renards polaires. Quelques mois plus tard, quand les journées commencent à raccourcir, toutes les oies, grandes et petites, se préparent à la migration d'automne. Chassées de cet éden arctique par la venue du froid, les familles au complet décolleront un matin pour une nouvelle, ou première, migration.

L'île de Skrudur, au large de l'Islande, surplombe l'océan Arctique. Dans chaque anfractuosité, des petits guillemots de Troïl aux têtes effilées attendent la becquée. Ceux-ci sont nés au terme des folles parades de leurs parents qui, par milliers, durant des heures, ont tournoyé et piqué dans la mer, comme animés par une force unique synchronisant leur ballet amoureux.

Oiseaux de mer grégaires au moment de la reproduction, mi-nidifuges, mi-nidicoles, les couples de guillemots de Troïl pondent un seul œuf sur le rocher nu des falaises d'Islande. Celui-ci sera couvé pendant un mois environ par les deux parents qui se succèdent sur ce « nid » réduit à sa plus simple expression.

Si cet œuf unique, en forme de toupie pour ne pas rouler sur la corniche, n'est pas la proie des prédateurs ailés, goélands ou labbes, le poussin naîtra couvert d'un épais duvet, les yeux grands ouverts. Durant une vingtaine de jours, il sera nourri de petits poissons. Puis l'oisillon quittera le lieu de sa naissance, poussé du bec par ses parents qui l'aident à se frayer un chemin vers le

Nichée de jeunes hirondelles rustiques bientôt prêtes à l'envol.

Cigogne blanche s'apprêtant à parader en claquant du bec.

Des oiseaux baby-sitters

On sait qu'une cane peut prendre facilement en charge les petits d'une autre cane défaillante. Cette attitude est très répandue chez les oiseaux, des parents d'une espèce s'occupant facilement des oisillons d'une autre espèce, même lointaine.

Cette attitude d'entraide, observée aussi bien chez les pigeons que chez les hirondelles ou les mésanges, peut commencer dès la construction du nid.

Mais, le plus souvent, elle concerne le nourrissage et l'éducation des jeunes.

Dans le cas de l'oie pie ou canaroie semi-palmée, un oiseau australien qui peut avoir deux femelles à la fois, celles-ci pondent leurs œufs dans le nid commun et se partagent les tâches de couvaison, de nourrissage et d'éducation. À l'inverse, la buse des Galapagos est polyandre, une femelle pouvant avoir plusieurs mâles. Ceux-ci, jusqu'à une demi-douzaine, s'occupent tous des petits et défendent le territoire sans manifestation d'une quelconque hiérarchie entre eux.

La situation la plus extraordinaire est celle des anis, cousins américains des coucous. Jusqu'à une dizaine de couples peuvent construire ensemble un nid fait de branchettes et de feuilles. Les immatures participent eux aussi à cette entreprise collective. Les femelles y pondront pêle-mêle leurs œufs. Et tous se relayeront pour les couver.

Curiosités

• Les oisillons des veuves, des oiseaux africains proches du coucou par leurs mœurs, sont absolument identiques à ceux des nids parasités, généralement des sénégalis.

Une ressemblance si poussée que même les taches à l'intérieur de leur bec – des stimulis de couleurs destinés à inciter les parents à nourrir leurs petits – sont parfaitement identiques, avec les mêmes couleurs et la même répartition en réseaux complexes, caractéristiques pourtant différentes entre les nombreuses espèces de sénégalis parasitées par les veuves.

Pour se séduire les oiseaux se font des cadeaux

Chez l'une des familles d'oiseaux d'Afrique et du Pacifique, nommés estrildidés, le mâle offre de véritables présents à la femelle qu'il veut séduire, lui présentant dans son bec des brindilles ou des fleurs.

Durant la saison des amours, les mâles de certaines espèces aquatiques, hérons ou grèbes, remettent aux femelles des matériaux de construction pour le nid : branches ou plantes, avec des attitudes de séduction : saluts du buste et plumes hérissées.

Il arrive aussi que les oiseaux mâles offrent de la nourriture aux femelles. Tel est le cas, par exemple, chez les rapaces, les sternes ou les mésanges.

Les geais, les pics ou les sittelles vont même jusqu'à effectuer des réserves de graines et de fruits avant ou pendant l'hiver afin de nourrir les femelles durant la saison de reproduction.

Mais les exemples les plus surprenants concernent les macareux, les sternes ou les goélands, leurs offrandes étant de petits poissons. Les mâles effectuent une sorte de danse autour de la femelle, tenant dans leur bec ces petits poissons, qu'ils refusent longtemps de lui céder.

Macareux moine tenant des lançons dans son bec, Islande.

La saison de reproduction, qui peut durer plusieurs semaines chez les oiseaux, commence par la création d'un territoire. Celui-ci doit accueillir le nid et subvenir aux besoins alimentaires de toute la famille. La création de ce territoire s'avère d'autant plus indispensable lorsque les ressources sont limitées : sa taille va donc dépendre de l'abondance et de la répartition des ressources.

Pour défendre cette zone et en marquer les frontières, les oiseaux mâles utilisent divers signaux acoustiques et visuels, qui servent par ailleurs à attirer et à séduire les femelles. Ces signaux consistent en des cris, des chants, mais aussi des claquements d'ailes frappées l'une contre l'autre, comme chez les pigeons, les lagopèdes, les gélinottes ou les engoulevents. D'autres signaux peuvent également être utilisés par certaines espèces, telles les vibrations durant le vol de plumes spécialement modifiées, comme chez les bécasses ou les colibris. Ces signaux peuvent encore consister en des claquements de bec, caractéristiques des cigognes, ou des tambourinages contre les troncs d'arbres, spécialité des pics. Enfin, des oiseaux mâles exhibent leur plumage coloré, le mettant en valeur par des postures et des comportements précis, attitude que l'on observe par exemple chez les rouges-gorges, les chevaliers combattants ou les paradisiers.

Chez certaines espèces, les mâles font même de petits cadeaux aux femelles. Ces offrandes peuvent être soit des matériaux pour un futur nid, soit de la nourriture. Ce comportement permet aux femelles de tester les mâles pour évaluer leur efficacité dans leur recherche de nourriture et, accessoirement, il procure un complément alimentaire pour la formation des œufs.

Tout commence par le territoire

Stéphane Durand, ornithologue, assistant metteur en scène du Peuple migrateur.

Mais avant de bâtir leur nid et d'y pondre, les oiseaux mâles et femelles doivent se rencontrer. La grande majorité d'entre eux est monogame (90 %). Chez les grands oiseaux à longue durée de vie, comme le cygne, le condor, la grue ou le grand albatros hurleur qui peut survivre jusqu'à soixante ans, la fidélité est de mise. Cette fidélité, que l'on observe aussi chez les manchots, les oies, les fous de Bassan et bien sûr les cigognes, est bien souvent la clé du succès reproducteur car les poussins de ces espèces ne pourraient être élevés par un seul adulte.

Chez les espèces dont les mâles sont polygames, il arrive que plusieurs mâles paradent en même temps au même endroit, appelé « arène ». Leurs petits territoires sont alors contigus. C'est notamment le cas chez les tétras lyres, les gélinottes des armoises, les grandes outardes ou les chevaliers combattants. Les femelles les observent, comme à un défilé de mode, puis vont copuler avec le mâle de leur choix. C'est bien souvent le même mâle qui est d'ailleurs choisi par la majorité des femelles ! La polyandrie est beaucoup plus rare chez les oiseaux. Dans ce cas, c'est la femelle qui s'apparie avec plusieurs mâles et leur laisse le soin de s'occuper de sa progéniture. Tel est le cas des casoars, des jacanas ou des phalaropes.

Le rôle du nid est de protéger œufs et poussins des intempéries, et surtout des prédateurs. Le choix du site, de son orientation par rapport aux vents dominants, aux pluies et au soleil, ainsi que celui des matériaux sont donc de la première importance.

Le nid peut être une simple dépression dans le rocher, dans le sable, dans le gravier, tel celui du gravelot ou de la sterne, ou, au contraire, une construction

Colonie de fous de Bassan, Islande.

Nid de cormoran impérial, îles Malouines.

Chouette harfang au nid,
île Bylot, Canada.

Pétrel géant, îles Malouines.

Huîtrier noir, îles Malouines.

hautement élaborée, une merveille d'architecture, de couture, de tissage, comme celui de la mésange rémiz ou du tisserin d'Afrique. Les matériaux les plus divers peuvent être utilisés : boue amalgamée de salive, branches et brindilles de toutes tailles et de tous diamètres, plumes, feuilles, etc.

Tous les oiseaux couvent leurs œufs, à l'exception des mégapodes, originaires de Nouvelle-Guinée et d'Australie, qui utilisent la chaleur dégagée par d'énormes tas de végétaux en décomposition ou la chaleur du soleil chauffant le sable noir d'îles volcaniques. Environ quatre-vingts espèces d'oiseaux parasitent les nids d'autres oiseaux, dont 40 % des espèces de coucous.

Certaines espèces nichant au sol en zone tropicale (les gangas, les vanneaux) ne s'installent le jour sur leurs œufs que pour les abriter de l'ardeur du soleil. L'incubation a des durées variables selon les espèces : elle peut durer une dizaine de jours, comme chez les petits passereaux type mésange, à plus de quatre-vingts jours pour certains albatros.

Pour améliorer l'incubation, les oiseaux peuvent perdre temporairement les plumes d'une zone précise et richement vascularisée de l'abdomen afin de mieux transmettre leur propre chaleur aux œufs : c'est ce que l'on appelle la plaque incubatrice. Les canards et les oies arrachent eux-mêmes les plumes qui couvrent cette plaque d'incubation et en garnissent leur nid.

Chez 54 % des familles d'oiseaux, les deux partenaires du couple incubent alternativement tandis que chez 25 % d'entre elles, seules les femelles incubent et chez 6 % seulement cette occupation est dévolue aux seuls mâles. Chez les 15 % des familles restantes, les trois solutions ont été observées.

L'incubation requérant de 60 à 80 % de la journée, le partenaire qui ne couve pas se charge souvent d'apporter de la nourriture à celui qui couve. L'éclosion peut prendre de vingt minutes à quatre jours, comme chez les albatros. Les parents n'aident que très rarement leur poussin ; en revanche, ils élimineront la coquille dès qu'il en sera sorti.

Il existe deux grands types de poussins : les nidifuges, qui naissent couverts de duvet, les yeux ouverts et immédiatement capables de marcher, de courir, de nager, et de chercher leur nourriture par eux-mêmes, tels les canards, les oies, les faisans et tous les gallinacés ; et les nidicoles, qui naissent nus, aveugles, incapables de mouvements ordonnés autres que celui d'ouvrir le bec, et qui réclament pitance par leurs cris, totalement dépendants de leurs parents, comme le rouge-gorge, le geai, la pie ou le perroquet.

Les oiseaux nidifuges quittent le nid dès l'éclosion du dernier poussin. La synchronisation des éclosions est donc capitale pour eux. C'est pourquoi la couvaison commence avec le dernier œuf pondu. Chez les espèces nidicoles, la couvaison peut commencer avant la ponte du dernier œuf, ce qui conduit à des éclosions successives et à des oisillons d'âges différents.

Entre ces deux extrêmes, on observe toute une série d'intermédiaires, comme les sternes dont les poussins naissent avec du duvet, les yeux ouverts, mais qui restent au nid. Il existe aussi des poussins très précoces, tels ceux du mégapode ou de l'hétéronette à tête noire, un canard originaire d'Amérique du Sud capable de voler vingt-quatre heures après son éclosion.

Dépliant :
Dès la fin de l'hiver, les grues
du Japon, jeunes et adultes, dansent
et paradent pour se séduire
et renforcer les liens du couple,
île d'Hokkaido, Japon.

Albatros à sourcils noirs couvant
son œuf, îles Malouines.

Les nids les plus extraordinaires

En règle générale, les nids des oiseaux des zones tempérées sont moins spectaculaires que ceux des oiseaux des zones tropicales. Pour construire ceux-ci, les oiseaux dépensent une énergie considérable : on a calculé qu'un pinson, par exemple, pouvait effectuer plus de mille allers-retours chargé de matériaux divers. L'hirondelle de cheminée effectue, elle aussi, environ mille allers-retours avec de la boue dans son bec pour édifier son nid, constitué d'autant de boulettes agglomérées.

– Les tisserins d'Afrique, ou malimbus, réalisent leurs nids dans des acacias avec des filaments de brindilles ou d'écorces, et de fines lianes. Certains détachent des feuilles de palmier des lanières qu'ils arrachent en les saisissant à la base et en se laissant chuter. Après avoir constitué une sorte de hamac surmonté d'un toit, ils assemblent et « cousent » ces matériaux à l'aide de nœuds variés. Les perruches souris font de même.

– Le nid le plus minuscule est celui du colibri Calliope, qui ne fait que 19 millimètres de diamètre (ses œufs il est vrai pèsent 0,3 gramme).

– Le nid de la cigogne blanche s'épaissit d'année en année et peut peser jusqu'à neuf cents kilogrammes.

– L'ombrette, un échassier d'Afrique d'un poids d'environ une livre, édifie dans les arbres un nid d'un mètre cinquante de largeur et de presque autant de hauteur, pesant une cinquantaine de kilogrammes et capable de supporter le poids d'un homme.

– Le pluvian d'Égypte, censé être le « cure-dent » des crocodiles, dépose ses œufs à même le sol, puis les recouvre de sable. Le soleil va les réchauffer comme ceux des reptiles, tortues et crocodiles. À la tombée de la nuit, l'oiseau revient, dégage le sable, et couve ses œufs durant les heures fraîches.

– Le fournier roux construit un nid en terre à même le sol, constitué de deux salles séparées par une cloison. Ce « deux-pièces » pèse près de cinq kilogrammes, alors que l'oiseau, de la taille d'un merle, pèse moins de 80 grammes.

– Les républicains du sud de l'Afrique édifient des nids collectifs d'herbes sèches capables d'atteindre six mètres de diamètre, pourvus d'une seule galerie d'accès, et pouvant abriter jusqu'à une centaine de couples.

– La talégalle de Latham construit son nid avec des feuilles assemblées en tas. Ce nid peut atteindre un mètre de haut, trois ou quatre mètres de diamètre et peser de deux à quatre tonnes.

– Les fauvettes couturières d'Asie utilisent deux larges feuilles d'arbres qu'elles plient et assemblent en y perçant de petits orifices dans lesquels elles enfilent avec leur bec des épines, des brindilles, de la soie de cocons, ou même des filaments de toile d'araignée. Cette espèce de cornet pointé vers le bas est solidement maintenu à l'arbre par le pétiole de la feuille demeurée verte, ce qui rend le nid encore plus discret.

– Certains gros oiseaux de la famille des mégapodes (grands pieds) ont « inventé » la couveuse artificielle. Originaires d'Australie, de Nouvelle-Guinée, des Philippines, ces oiseaux qui ressemblent à des paons accumulent de gigantesques tas d'humus en guise de nids afin que la fermentation de ceux-ci dégage la température nécessaire à l'incubation de leurs œufs.

– Certains mégapodes, dits de Bismarck, profitent de la tiédeur des cendres volcaniques pour y abandonner leurs œufs.

– Le nid du calao, un oiseau originaire d'Afrique ou d'Asie, est une véritable prison pour la femelle.

Cigogne dans la région du Calvados, France.

Oropendola tissant son nid suspendu, Pérou.

En effet, le mâle « emmure » avec de la boue l'orifice du tronc d'arbre où elle couve les œufs. C'est par un petit trou spécialement aménagé qu'il lui apporte sa nourriture. Dès que les poussins sont grands, la femelle détruit ce mur pour libérer sa couvée.

– Dans le but de se constituer une île artificielle, la foulque géante des hauts plateaux andins réalise un « matelas » de roseaux et de plantes aquatiques de plusieurs mètres de diamètre sur lequel elle installe son nid. Un édifice assez épais pour supporter le poids d'un homme.

– Les mésanges à longue queue confectionnent des nids à partir de toiles d'araignées. Très élastiques, ceux-ci peuvent contenir jusqu'à douze oisillons. Ils épousent les mouvements de la couvée et s'adaptent à la croissance des jeunes.

– Le martin-pêcheur creuse dans la terre des berges une galerie qui peut atteindre jusqu'à un mètre de profondeur. Celle-ci se termine par une chambre d'incubation où la femelle dépose ses œufs à même le sol. Les détritus qui s'y emmagasinent rendent vite l'endroit nauséabond, signalant la présence du nid par une coulée blanchâtre. Le mâle qui va chercher de la nourriture plonge souvent dans l'eau, à sa sortie du nid, pour se nettoyer.

– Le plus extraordinaire nid est celui du ptilonorhynque, plus communément appelé oiseau satin, oiseau jardinier ou oiseau nacelle, un beau volatile bleu-noir qui vit en Australie. Le mâle édifie son nid sur une plate-forme d'herbes et de brindilles couvrant une surface d'environ un mètre de diamètre. Sur celle-ci, il dresse deux « murets » parallèles orientés nord-sud. Mais la particularité la plus étonnante de cette construction réside dans sa « décoration » : l'oiseau satin mâle l'agrémente en effet de divers objets hétéroclites qu'il ramasse alentour, feuilles, fruits, cailloux, lambeaux de plastique, bouts de verre, plumes. Des objets dont le point commun est d'être tous de couleurs vives et, pour certains oiseaux, exclusivement bleu ou violet ! Le ptilonorhynque renouvelle cette décoration régulièrement afin qu'elle garde tout son éclat, n'hésitant pas à faire main basse, ou plutôt griffes basses, dans des nids voisins. Plus curieux encore : avec un jus de baies sauvages qu'il broie dans son bec, cet oiseau teint certaines parties de son nid et parfois même son plumage à l'aide d'une racine ou d'une petite éponge végétale qu'il tisse lui-même et dont il se sert comme d'un pinceau.

Il faut préciser que ce « nid » est en fait destiné à séduire et à féconder les femelles qui sont attirées par groupes entiers autour de lui. Après en avoir inspecté plusieurs, ces femelles portent leur choix sur l'un d'eux. L'une finit par y pénétrer pour succomber aux assauts du mâle. Elle ira ensuite pondre ailleurs dans la forêt.

En conclusion, les oiseaux qui nichent dans des cavités ou des nids clos pondent toujours, ou presque, des œufs blancs et quasiment sphériques, tandis que ceux qui nichent à même la terre ou sur la roche ont des œufs sombres, tachetés, mimétiques et souvent piriformes (en forme de toupies), cette dernière particularité leur interdisant de rouler et de tomber des falaises où se situent leurs nids, tels ceux des guillemots.

Macareux moines
au bord de la falaise, Islande.

femelles de son voisinage, car le troglodyte est un vrai polygame. Après son tour du propriétaire, il retiendra autant de femelles qu'il pourra en loger ! À noter que le pic lui aussi prépare plusieurs nids dans les troncs d'arbres, mais lui ne gardera qu'une femelle.

Quant à l'infidélité, elle est monnaie courante chez les oiseaux vivant en couple. Sans être réellement polygames, la plupart de ceux-ci, mâles comme femelles, peuvent avoir des rapports avec des partenaires multiples occasionnels. Les scientifiques anglo-saxons ont baptisé cette pratique EPC (extra pair copulations). On dispose de peu d'informations statistiques sur ces comportements d'infidélité mais, à titre d'indication, on peut noter que chez les colverts, par exemple, la moitié au moins des couvées a pour origine des paternités multiples.

Si la jalousie ne semble pas exister chez les oiseaux, certains témoignent tout de même d'un comportement difficile à expliquer. Ainsi, l'accenteur mouchet, que l'on confond souvent avec le moineau, est un coureur de « jupons » invétéré. Comme beaucoup de passereaux, il copule toute la journée avec les femelles qu'il rencontre. Mais, avant de se livrer à ses ébats avec une nouvelle conquête, il prend ses précautions : se doutant apparemment qu'il n'est pas le premier à bénéficier de ses faveurs, il va titiller l'orifice de sa partenaire avec son bec afin de contrôler s'il a eu un prédécesseur dans les minutes qui précèdent. Dans ce cas, fort probable, il évacuera avec son bec la semence inopportune avant de passer à l'acte.

Le triolisme, lui, est assez rare. On en observe cependant des cas chez les huîtriers pies ou les buses des Galapagos. Chez ces derniers, une femelle peut s'accoupler, souvent pour la vie, avec deux mâles, ou plus, chacun se relayant pour couver les œufs, puis pour aller chercher la nourriture.

Quant à la fidélité de certains oiseaux, serait-elle une légende ? Si les couples de cigognes ou d'albatros, entre autres, ne démentent pas leur réputation en restant le plus souvent unis pour la vie, dans de nombreuses espèces les couples peuvent se séparer. Ces « divorces » sont assez répandus chez les flamants roses ou les hirondelles rustiques, mais aussi chez les manchots empereurs, les puffins, les cormorans, les alouettes, et également chez la plupart des passereaux (mésanges, gobe-mouches, etc.).

Les séparations interviennent presque toujours à l'initiative des femelles.

Les chercheurs estiment depuis longtemps que ces couples se séparent en raison d'un échec sur le plan de la reproduction, les oiseaux «divorçant» pour mieux se réapparier avec d'autres partenaires.

Enfin, des cas de transsexualité ont été observés, notamment chez des faisans, des merles d'Amérique, des pinsons, des canards, des perdrix, des hérons, des autruches ou des poules domestiques.

Très rares, ces mutations spectaculaires entraînent des transformations anatomiques étonnantes.

Les poules touchées par ce phénomène bien connu des fermières vont lancer un beau matin le fameux « chant du coq », des caroncules vont apparaître sur leur gorge, et parfois même des crêtes pousser sur leur tête.

Au bout d'un an, ces oiseaux peuvent même effectuer des parades.

Et certains iront jusqu'à féconder leurs anciennes compagnes de basse-cour.

Jeunes grues cendrées
dans l'Aveyron, France.

Double page suivante :
Prise de bec entre cigognes blanches
en Basse-Normandie, France.

Quand la « poissonnerie » se trouve à des milliers de kilomètres

Faut-il dire incubation ou couvaison ?

Pingouin torda, Islande.

Double page suivante :
Colonie d'albatros à sourcils noirs,
îles Malouines.

*D*ès que l'œuf est fécondé dans l'abdomen de la mère oiseau, il commence à se développer. Une fois pondu, le développement de l'embryon ne commence que s'il est maintenu à une température convenable. En règle générale, les parents oiseaux maintiennent cette température en réchauffant l'œuf, ou les œufs, grâce à la température de leurs propres corps. C'est cette action que l'on appelle couvaison. L'incubation, c'est le développement de l'embryon dans l'œuf depuis sa fécondation jusqu'à l'éclosion, même si l'œuf n'est pas forcément couvé en permanence, voire pas du tout.

*P*our nourrir leurs petits, certains oiseaux doivent couvrir de très longues distances.
Les goélands du Chili ou du Pérou, qui nichent au milieu de déserts arides, peuvent effectuer une centaine de kilomètres pour rejoindre le Pacifique, et autant pour en revenir.
Mais ils sont loin d'égaler les exploits de certaines espèces qui accomplissent d'extraordinaires voyages allers-retours pour nourrir leurs petits.
Les manchots royaux, qui nichent sur l'île Crozet, près des Kerguelen, nagent parfois 1 500 km pour rejoindre leurs zones de pêche afin d'alimenter leurs nichées. Ce sont malgré tout les albatros hurleurs de l'hémisphère Sud qui pulvérisent tous les records : ils sont capables de voler plusieurs milliers de kilomètres en pleine mer dans le seul dessein de trouver de la nourriture pour leurs poussins. Certains, partis de l'île australe de Crozet, ont couvert des distances effarantes, ainsi que l'ont prouvé les balises Argos placées sur leur dos, se déplaçant des abords de l'Afrique du Sud à ceux de l'Antarctique. Lors des expériences réalisées avec ces balises, dont les messages étaient captés par satellite, les scientifiques ont constaté avec stupéfaction que certains albatros avaient couvert près de 15 000 km !

« Si seulement tu comprenais
que le moindre oiseau qui fend l'air
est un immense monde fermé à tes cinq sens. »

William Blake

La vie
à
tire-d'aile

Bernaches à cou roux
en Europe de l'Est.

Jeunes cygnes chanteurs sur le lac
Montbel en Ariège, France.

Canards colvert survolant un lac
du Languedoc-Roussillon, France.

Bernache nonnette.

Les oiseaux, qui nous paraissent souvent si lointains, figurent parmi nos plus proches cousins.

Comme nous, ils évoluent dans un monde d'images colorées hormis les oiseaux nocturnes qui, eux, ne voient qu'en noir et blanc.

Sait-on que le rouge-gorge, l'oie sauvage ou l'albatros des mers du Sud voient comme nous l'univers en couleurs, ce qui n'est pas le cas de la plupart des mammifères, qui évoluent dans un univers monochrome de gris ?

Les rapaces, aigles, faucons ou vautours, peuvent repérer du haut des cieux les plus infimes détails situés au sol. Alors qu'ils tournent à plusieurs centaines de mètres d'altitude, ils sont capables de déterminer si un mouton couché dans la vallée est vivant ou mort, simplement en observant ses flancs pour voir s'il respire. L'acuité visuelle des grands rapaces est en effet plusieurs fois supérieure à celle de l'homme ! Les faucons sont parmi les mieux pourvus. Pour repérer leurs proies et les saisir au vol, ils possèdent une sorte de loupe d'une puissance dix fois supérieure à celle de la périphérie leur permettant de « zoomer » uniquement sur les détails qui les intéressent.

Meilleure acuité, mais aussi meilleure appréhension de la perspective, les oiseaux nous sont supérieurs sur tous les plans de la vision. Le pigeon a un champ visuel de 300°. La bécasse de presque 360°. Celle-ci, sans bouger la tête, peut ainsi observer ce qui se passe derrière elle.

Une meilleure vue, cela suppose de meilleurs yeux. Les oiseaux ont effectivement de plus gros yeux que la plupart des mammifères comparativement à leurs poids. Le globe oculaire d'un petit

La vie à tire-d'aile

Oies cendrées suivant la Seine, à Paris.

Mais si les oiseaux sont vraiment nos cousins, ils possèdent un système auditif plus efficace que le nôtre, leur permettant de percevoir des sons dans les graves, les infra et ultrasons, là où nous sommes sourds. Les rapaces nocturnes, hiboux, chouettes ou grands ducs, ont une ouïe extraordinairement développée. Dans l'obscurité, ils repèrent leurs proies essentiellement par les sons qu'elles émettent, ne recourant à la vision que dans la phase finale de la capture.

La chouette effraie a poussé à l'extrême cette acuité : elle jouit d'une excellente ouïe, mais pour ne rien perdre des sons frontaux qui lui parviennent, elle concentre ceux-ci vers ses orifices auditifs grâce à deux larges pavillons de plumes. Fruit d'une évolution qui s'est étendue sur des millions d'années, ses « oreilles » sont constituées de plumes courtes et rigides qui donnent à la dame blanche son aspect si caractéristique.

Si les oiseaux ont une ouïe si bien développée, c'est qu'ils ont un besoin vital de ce sens pour chasser ou pour se protéger des prédateurs. Mais l'ouïe leur permet aussi de recevoir des messages émis par les autres membres de leur espèce. Les oiseaux, en effet, ne chantent pas seulement pour se faire plaisir : ils se « parlent », et se parlent même beaucoup, ainsi qu'on le découvre dans *Le Peuple migrateur* en écoutant, par exemple, le festival des grues du Canada au Nebraska, ou le concert des albatros hurleurs sur l'île Crozet, dans les mers du Sud.

Curiosités

- *Sous l'effet d'une grande frayeur, la gélinotte des bois peut perdre une partie de son plumage.*
- *Les oiseaux ont poussé l'art du camouflage à un degré extrême. Les ibijaux, vivant en Amérique du Sud, les podarges, dans le Sud-Est asiatique et en Australie, se dissimulent sur des grosses branches d'arbres dont leur plumage imite exactement l'aspect. Ils peuvent même pondre leur unique œuf en équilibre sur une branche et le couver en se « fondant » littéralement sur ce support.*
- *Les butors étoilés, lorsqu'ils sentent un danger, dressent tout droit leur long cou et tendent leur bec vers le haut, ressemblant à s'y méprendre aux tiges des roseaux les entourant.*

passereau comme l'étourneau atteint jusqu'à 15 % de celui de son corps (ce ratio n'est que de 1 % chez l'homme). Mais c'est l'autruche qui bat tous les records : proportionnellement, son œil est… cinq fois plus volumineux que celui de l'homme.

Quant aux oiseaux aquatiques, on a découvert que les cellules en cônes de leur rétine – celles qui permettent la vision en couleurs –, contiennent de microscopiques gouttes huileuses capables de polariser la lumière bleue, cela afin d'éliminer la réverbération à la surface de l'eau !

Canard colvert
en plein effort de décollage.

Oie cendrée.

Double page suivante :
Pygargue à tête blanche
s'apprêtant à saisir une proie
sur un lac d'Alaska, États-Unis.

Curiosités

• *Les guacharos vivent dans des grottes des contreforts des Andes. Comme les chauves-souris, ils se repèrent dans l'obscurité totale grâce à l'écholocation, d'où la formidable clameur semblant sortir de terre dans les forêts péruviennes ou colombiennes, qui effrayait tant les Indiens de jadis. Les salanganes, avec les nids desquelles les Asiatiques cuisinent leurs fameuses soupes dites « aux nids d'hirondelle », nichent également au plus profond de grottes obscures et se dirigent par écholocation.*

Contrairement à ce que l'on pourrait penser, ce n'est pas par le même système vocal que les mammifères – dont les humains – que les oiseaux s'expriment. Chez eux, le larynx ne joue aucun rôle. C'est avec un organe qui leur est propre, la syrinx – du nom de la déesse transformée en roseau – qu'ils produisent leurs cris et leurs chants. Cet organe étrange se situe au niveau où la trachée-artère se sépare en deux conduits menant aux poumons. Très élémentaire chez certaines espèces peu loquaces, comme les rapaces ou les échassiers, la syrinx, qui utilise la trachée comme caisse de résonance, est très développée chez les passereaux, oiseaux chanteurs par excellence, ou chez les grues ou les cygnes, qui sont capables d'émettre des cris étonnamment puissants. Elle peut même, pour certaines espèces, produire deux chants différents simultanément. Grâce à cet ensemble composé uniquement de la syrinx et de la trachée, les oiseaux peuvent exprimer une gamme extraordinaire de sons, du mugissement caverneux du butor aux cris, si aigus, des hirondelles. La portée de ces sons est remarquable compte tenu de la taille modeste de la plupart des oiseaux qui les émettent. Ainsi, les *pajaros campanas* (oiseaux cloches) d'Amérique du Sud produisent des sons cristallins qui résonnent dans les forêts à plus de 5 km sous la canopée.

Pourquoi les oiseaux chantent ? Tel était le titre d'un ouvrage, plus poétique que scientifique, publié dans les années 30 par l'écrivain Jacques Delamain, correspondant du Muséum d'histoire naturelle de Paris. Les ornithologues, depuis cette époque, ont apporté à cette question des réponses plus sérieuses, la *scientia amabilis* (science des oiseaux) ayant fait des pas de géant en quelques décennies.

On sait désormais que ce sont, en règle générale, les mâles qui chantent, sauf chez quelques rares espèces comme le rouge-gorge où la femelle aussi émet des chants. On sait surtout qu'aucune manifestation sonore des oiseaux, cris et chants, n'est gratuite. Chacune a une signification précise, et

Condor des Andes, Argentine.

Pygargue à tête blanche à l'affût, Alaska, États-Unis.

Double page suivante :
Le rendez-vous annuel des pygargues à tête blanche, Chilkat River, Alaska, États-Unis.

Curiosités

- *Le faucon pèlerin, dont la vitesse de croisière est de 130 km/h, peut atteindre en piqué 290 km/h. Ce petit rapace est le vertébré le plus rapide du monde. Le martinet noir, lui, peut voler jusqu'à 200 km/h, en vitesse de pointe.*
- *Les pélicans sont capables de voler tous ensemble avec des battements d'ailes parfaitement synchronisés.*
- *L'autruche court à 70 km/h.*
- *Les plumes des pitohuis bicolores et des ifritas de Kowald de Nouvelle-Guinée, les seuls oiseaux vénéneux identifiés à ce jour, renferment un poison violent, l'homobatrachotoxine, que l'on n'a trouvé jusqu'à présent que chez des grenouilles arboricoles d'Amérique du Sud. En frottant leur ventre sur leurs œufs, ces oiseaux les mettraient ainsi à l'abri des prédateurs.*

Appétit d'oiseau ou appétit d'ogre ?

Les oiseaux mangent durant une grande partie de la journée. Il a été calculé que ceux qui pèsent entre 10 et 90 g consomment de 10 à 30 % de leurs poids par jour ! Un homme devrait manger chaque jour près de 200 kg de pommes de terre pour égaler en proportion la nourriture quotidienne absorbée par un colibri, le plus minuscule des oiseaux.

Quant aux oiseaux marins, ce sont de vrais gargantuas : les immenses colonies de goélands, de sternes ou de mouettes pêchant au large des côtes péruviennes absorberaient près de 5 millions de tonnes de poissons en une seule année, une colonie de cormorans pouvant à elle seule en prélever 1 000 tonnes par jour.

La formule « un appétit d'oiseau » paraît donc complètement déplacée.

parfois même plusieurs à la fois. En effet, en chantant ou en criant, l'oiseau peut exprimer plusieurs messages :

– soit « signer » l'espèce à laquelle il appartient, chaque individu ayant sa propre « signature » vocale connue de son entourage ;

– soit indiquer une source de nourriture aux autres oiseaux de la même espèce (et pas seulement !) ;

– soit marquer son territoire, tout en invitant les femelles à le rejoindre, ainsi qu'on l'a vu pour le rouge-gorge. Les poules de nos basses-cours ne sont-elles pas capables de lancer une vingtaine d'appels, chacun ayant une signification différente bien connue des fermières ? Les messages émis par certains sont d'ailleurs parfois compris par d'autres. Le cri d'alerte du rouge-gorge à la vue d'un épervier, par exemple, sera compris de bien d'autres espèces.

Les oiseaux se parlent donc beaucoup. Ils se parlent dans leur langue, mais parfois aussi en « patois » local. Les goélands bretons auraient, selon certains ornithologues, du mal à comprendre les goélands méditerranéens, bien qu'il s'agisse d'espèces très proches. Les bruants jaunes danois ne comprendraient pas les bruants jaunes allemands, affirment certains chercheurs, tandis que les bruants frontaliers, eux, entendraient parfaitement les deux !

Quoi qu'il en soit, les oiseaux communiquent en permanence. Ils se parlent parfois même dans l'obscurité. Qui n'a entendu, par une nuit d'octobre, des chants venus du ciel sans qu'on en puisse distinguer les auteurs ? Il s'agissait

sûrement, sauf à croire aux fantômes, d'un vol de migrateurs ; merles, alouettes, grives, oies, canards, chevaliers, gravelots, courlis, grues ou rouges-gorges. Les grives se maintiennent ainsi groupées dans l'obscurité par ces cris de cohésion. Cris d'inquiétude, cris d'alarme, cris de contact entre parents et enfants, chants territoriaux ou amoureux, les oiseaux du *Peuple migrateur* ont beaucoup de choses à se dire. Après avoir vu les images de bernaches nonnettes survolant le Mont-Saint-Michel, sans doute reconnaîtra-t-on mieux désormais leurs cancans.

Mais qu'en est-il du sens olfactif des oiseaux ? Contrairement à une idée reçue, ils n'auraient pratiquement aucun odorat. Longtemps, des biologistes ont prétendu le contraire. Pour expliquer comment les oiseaux migrateurs s'orientent la nuit, n'invoquaient-ils pas le sens olfactif de ceux-ci, un sens leur permettant de « sentir », et donc de reconnaître, les régions qu'ils survolaient ? Hélas, les expériences entreprises à ce sujet n'ont jamais pu apporter la moindre preuve de ces assertions.

Les oiseaux n'auraient donc aucun odorat ou, au mieux, un odorat atrophié ! Pourtant, là encore, comme toujours avec les oiseaux, des exceptions confirment la règle. Certains oiseaux de mer, tels les puffins ou les pétrels, et quelques rapaces, comme l'urubu, un vautour sud-américain, semblent posséder un système olfactif relativement bien développé. Cet « odorat » leur permettrait, lorsqu'ils survolent les immensités marines ou la

canopée des forêts, de localiser des proies mortes
à défaut de pouvoir les détecter par la vue.
L'étrange kiwi de Nouvelle-Zélande, un oiseau
aptère, posséderait lui aussi, comme des expériences
l'ont prouvé, cette faculté de « sentir ».

Et l'albatros ? On a longtemps cru, et certains
croient toujours, que cet oiseau possédait le
meilleur « nez » de tous les oiseaux ! Il serait
même capable de repérer à l'odeur des cadavres de
poissons ou de calmars surnageant dans les océans
déchaînés, et cela à des distances considérables !
Nombre de navigateurs admiratifs ont fait état de
ce don extraordinaire. Les expériences tentées
– des taches d'huile de poisson répandues sur la
mer, et attirant des albatros semblant surgir de
nulle part – ont accrédité cette croyance. Des
chercheurs plus sceptiques estiment que les
« géants des mers », totalement dépourvus de sens
olfactif, ne feraient que suivre l'exemple bruyant
des puffins et pétrels déjà arrivés sur place grâce,
eux, à leur odorat.

Si les oiseaux, sauf exceptions notables, n'ont pas
d'odorat, ont-ils au moins du goût ? Sans doute
s'est-on aperçu que les oiseaux appréciaient particulièrement tel aliment plutôt que tel autre : sel
pour les pigeons, abats pour les rapaces, tilapias
(petits poissons) pour les pélicans, pommes pour
les perroquets. De tels constats ont souvent été
effectués avec des oiseaux vivant en domesticité ou
en captivité. Mais, dans la nature, c'est d'abord
pour se nourrir, et non pour le plaisir, que les
oiseaux s'alimentent. Le spectacle d'oies des neiges

Parade d'un couple de grues
du Japon, île d'Hokkaïdo, Japon.

Double page suivante :
Troupe de bernaches nonnettes
survolant le Mont-Saint-Michel, France.

Quand les oiseaux s'entraident

Les oiseaux d'une même espèce peuvent s'entraider, comme le montrent notamment les pêches collectives des pélicans, mais la solidarité existe aussi entre espèces différentes. Dans les forêts tropicales, on observe des bandes hétérogènes surgissant au même moment dans le même secteur, un curieux phénomène nommé par les ornithologues « rondes d'oiseaux ». Certains pensent qu'il pourrait s'agir d'une coopération dans la quête de nourriture à des niveaux différents du sol, les granivores facilitant aux insectivores la capture de leurs proies importunées dans les feuilles ou les branches.

Les oiseaux peuvent aussi s'associer à de grands mammifères, tels les hérons garde-bœufs d'Afrique qui suivent les buffles pour se repaître des insectes dérangés dans les herbes par ceux-ci. Comme s'ils voulaient payer de retour leurs bienfaiteurs à cornes, les hérons les avertissent d'éventuels dangers par des cris spéciaux que les buffles savent interpréter. Les pique-bœufs africains font de même avec les grands mammifères herbivores.

C'est un autre oiseau africain, nommé indicateur, proche des pics, qui témoigne du comportement le plus étonnant. Il s'associe avec un petit carnivore, cousin de nos blaireaux, appelé ratel. Ce dernier est très friand de miel, comme l'indicateur. L'oiseau, trop faible pour ouvrir une cavité abritant une colonie d'abeilles, va solliciter par des cris appropriés et des vols rapprochés un ratel qui passe dans le secteur, et il va le guider, en sautant de branche en branche, vers la ruche convoitée. L'animal, après l'avoir éventré, se repaît du miel, laissant l'indicateur participer à ses agapes, et lui abandonnant la cire dont l'oiseau se régale.

broutant l'herbe de la toundra en donne un exemple édifiant.

La plupart des passereaux consomment à la fois des insectes, des fruits et des graines. Mais qu'ils soient granivores, insectivores, herbivores ou carnivores, les oiseaux absorbent presque toujours la même pitance (hormis certaines espèces, comme les corbeaux freux, qui, d'insectivores, peuvent devenir végétariens en hiver). Cette question du « goût » chez les oiseaux n'est cependant pas résolue : on s'est en effet aperçu que les granivores et les insectivores ne consommaient pas n'importe quoi, évitant systématiquement les parties toxiques des fruits, ou les insectes pourvus de systèmes de défense justement fondés sur le goût.

Quoi qu'il en soit, les oiseaux ne semblent pas perdre de temps à goûter leur nourriture avant de l'absorber, si l'on en croit le spectacle de poules en train de picorer. Il apparaît effectivement que c'est d'abord par la vue que les oiseaux choisissent leurs aliments. L'étude anatomique en donne la confirmation : l'homme possède près de trois mille papilles gustatives, le pigeon une cinquantaine, et le perroquet, considéré comme l'un des plus gourmands des oiseaux, quelques centaines seulement.

Peu d'odorat, pratiquement pas de goût, les oiseaux ont-ils au moins le sens du toucher, celui qui donne la perception du froid ou de la chaleur, et surtout de la douleur ? Leurs terminaisons nerveuses, comparables à celles des mammifères, sont concentrées dans les zones où la peau n'est pas couverte de plumes. Mais là encore, on a aucune

certitude. Il semble que les oiseaux éprouvent très peu de sensibilité tactile. S'ils devaient en éprouver, ce serait par le bec et les pattes, or ceux-ci, couverts de corne ou d'écailles non innervées, sembleraient quasiment insensibles, quoique certains spécialistes s'interrogent toujours. Quoi qu'il en soit, de rares exceptions, ici encore, existent dans le monde des oiseaux : certaines espèces aquatiques s'alimentant dans la boue ou la vase, tels les corlis et les spatules, possèdent des papilles tactiles au bout du bec. Ces corpuscules leur permettent apparemment de « sentir » ce qui se passe au fond de l'eau trouble.

Les oiseaux disposent d'un cervelet hypertrophié et d'autres organes extraordinaires leur permettant de percevoir le monde extérieur et de s'y mouvoir mieux que n'importe quelle autre créature.

Le premier de ces organes est un véritable stabilisateur naturel. L'homme a su, par son génie technique, créer des systèmes ingénieux, notamment dans l'aéronautique, l'astronautique ou l'optique, lui permettant de se situer en permanence dans l'espace : correcteur d'assiette, stabilisateur en vol et autre plate-forme inertielle. Les oiseaux sont pourvus de dispositifs anatomiques nommés canaux semi-circulaires leur assurant naturellement les mêmes performances. Ces organes existent dans l'ensemble du monde animal, mais sous une forme souvent atrophiée, hormis chez les poissons. Situés dans l'os occipital, de chaque côté du crâne des oiseaux, ces canaux communiquant entre eux sont remplis d'une substance liquide

Couple de grues du Japon, île d'Hokkaido, Japon.

Curiosités

épousant par gravitation leurs mouvements en vol. Ce système de vases communicants microscopiques, en relation avec des zones très innervées, renseigne l'oiseau en temps réel, au millionième de seconde près, sur la position qu'il occupe dans l'espace en trois dimensions dans lequel il évolue. Les oiseaux seraient par ailleurs pourvus d'un système de détection du magnétisme terrestre. Cette question complexe est abordée par le Pr Francis Roux dans le chapitre III. Beaucoup de spécialistes s'interrogent en effet sur les mystérieux «dons» utilisés par les oiseaux pour s'orienter si précisément durant leurs migrations. Le feraient-ils, au moins en partie, grâce à la détection du

magnétisme terrestre? Les poissons ne sont-ils pas pourvus d'électroréacteurs jouant ce rôle? Une dizaine d'espèces d'oiseaux, dont les fameux pigeons voyageurs et, plus surprenant encore, les rouges-gorges, seraient sensibles au champ magnétique de la Terre, ainsi que l'ont prouvé des expériences mises en œuvre dans des locaux situés à l'abri du champ magnétique. Mais les chercheurs, s'ils n'ont toujours pas localisé ces fameux électroréacteurs qui résoudraient cette question, ont tout de même découvert dans les tissus des oiseaux sensibles au magnétisme, et notamment dans leur cerveau, des particules de magnétite et d'autres molécules qui pourraient jouer ce rôle. À moins

- *Le cœur du colibri bat cinq cents fois par minute (de quatre-vingts à quatre-vingt-dix chez l'homme).*
- *Le cygne chanteur détient le record du nombre de plumes : il en porte jusqu'à trente mille, le colibri n'en ayant que neuf cents.*
- *La barge rousse, à l'aide de son long bec tactile, est capable, par sondages répétés dans le sable des plages, de localiser rapidement les vers marins dont elle se nourrit.*
- *L'huîtrier pie introduit son bec très rapidement entre les valves des coquillages avant qu'ils n'aient le temps de se refermer. Puis il les contraint à s'ouvrir en tournant sur lui-même.*
- *Le faucon des chauves-souris poursuit celles-ci au crépuscule avec une grande habileté, et les avale tout entière en vol.*

De la scientia amabilis à l'ornithologie

Avec 10 000 espèces, les oiseaux font figure de parents pauvres dans la formidable diversité du monde du vivant, qui compte, il est vrai, près de 1 500 000 espèces.

En dépit de cette place quantitative modeste, les oiseaux ont toujours fasciné les hommes. Leur étude, dite scientia amabilis, *est fort ancienne. Au long des millénaires, d'Aristote à Buffon, elle n'a pourtant pas beaucoup évolué. N'a-t-on pas cru durant longtemps que les oiseaux volaient jusqu'à la Lune parce qu'ils ne pouvaient pas traverser les océans ? Ou que les gros oiseaux portaient ceux de plus petite taille sur leur dos durant leurs voyages ? Une étonnante histoire, qui illustre cette ignorance parfois poétique, concerne les oiseaux dits de paradis, originaires de Papouasie.*

Ce nom a en effet une origine méconnue. Les premiers spécimens naturalisés parvenus en Europe à la fin du XVIIIe siècle étaient dépourvus de pattes.

Les naturalistes de l'Ancien Monde en avaient conclu que ces oiseaux ne se posaient jamais sur le sol, se nourrissant de rosée et demeurant dans l'azur afin ne pas souiller leur merveilleux plumage. C'est la raison pour laquelle ils leur ont donné le nom d'oiseaux de paradis. En réalité, les taxidermistes indigènes avaient tout simplement coupé les pattes jugées inesthétiques de ces oiseaux, avant d'expédier ceux-ci en Europe !

La grande majorité des connaissances modernes sur les oiseaux a commencé à voir le jour à la fin du XIXe siècle, fruit des patients travaux menés dans le monde entier par des chercheurs issus de disciplines diverses.

Les spécialistes des oiseaux sont regroupés sous le terme d'ornithologues ou d'ornithologistes.

Les progrès sur la connaissance des oiseaux ont été très spectaculaires ces dernières décennies, notamment en ce qui concerne les migrations.

que la réponse ne se trouve dans leur rétine, comme l'imaginent d'autres spécialistes ?

Pour en terminer avec ces singularités anatomiques qui font des oiseaux des surdoués de la nature, il faut évoquer les étonnants « corpuscules de Herbst ». Ces censeurs répartis sur tout leur corps rendent les oiseaux hypersensibles à la pression atmosphérique et aux vibrations de l'air, de la terre et de l'eau. On a remarqué que, lors de lointaines explosions, les oiseaux les ressentaient à des centaines de kilomètres.

Merveilleusement doués pour la vue, la « parole » et l'ouïe, mais apparemment dépourvus d'odorat, de goût et de sens tactile, les oiseaux ne semblent donc pas armés pour les plaisirs terrestres, du moins tels que les conçoivent les humains. Même durant leurs fugaces étreintes, qui donnent souvent l'impression d'être plus conflictuelles qu'amoureuses, comme le démontrent celles des canards colverts quasiment tortionnaires, ils ne donnent pas vraiment l'impression d'aller au septième ciel.

Et pourtant, que les oiseaux paraissent heureux de vivre, désireux de séduire et de se reproduire ! Les plus extraordinaires exemples de cette ardeur nous sont offerts par les parades nuptiales. Même les plus petits des oiseaux, ou ceux qui ne sont pas parmi les plus éclatants, témoignent de ce comportement extravagant : le rouge-gorge gonfle son poitrail, le moineau exhibe sa gorge sombre, la fauvette à tête noire hérisse les plumes de sa tête. Certains poussent au paroxysme ces parades.

Le Peuple migrateur nous offre de nombreux exemples de ces étonnants ballets ailés, qu'il s'agisse des grèbes de l'Ouest, des grues Antigones, des grues du Japon, des cygnes chanteurs ou des tétras lyres. Présents toute l'année dans les Alpes, ces derniers, magnifiques oiseaux de la famille des gallinacés, offrent un bon exemple de dimorphisme sexuel, c'est-à-dire de différences d'aspect entre mâles et femelles. Les mâles, dont le plumage est noir avec des reflets bleus, présentent de volumineux « sourcils » rouges et exhibent une queue blanche en forme de lyre. Ils « écrasent » par leur splendeur leurs compagnes, plus petites, de couleur brun-roux, et ne présentant qu'une queue échancrée.

Les coqs, polygames et avantageux, ne semblent vivre que pour les parades nuptiales. Dès la venue du printemps, ils rejoignent leurs emplacements traditionnels, de petites clairières dégagées dont les limites sont précisément fixées. Certains oiseaux entreprennent de faire place nette, repoussant du bec et des pattes branchettes et brindilles. C'est là que vont avoir lieu leurs parades amoureuses, des démonstrations étonnantes pouvant rassembler des dizaines de protagonistes (jusqu'à quatre cents chez les gélinottes des armoises !).

Chacun des coqs déploie sa queue en éventail, étend ses ailes, faisant apparaître leur verso d'un blanc de neige. Trépignant sur place, joues gonflées, les tétras balayent le sol de leurs rémiges. Puis ils se mettent à tourner sur place en glapissant, roucoulant et sifflant fortement, leur queue déployée rabattue sur leur tête. Quelques-uns,

Cygnes chanteurs
près de la frontière chinoise.

Curiosités

- *Chez certains oiseaux, les femelles exhibent de plus belles parures que les mâles. C'est le cas chez les rhynchées d'Afrique et d'Asie du Sud-Est ou des phalaropes de l'Arctique, beaucoup plus chatoyantes que leurs mâles (ce sont d'ailleurs ceux-ci qui couvent les œufs et s'occupent des poussins). Parfois, les parures sont aussi belles chez les deux sexes. Le mâle d'un perroquet d'Australie nommé eclectus étant d'un vert superbe et la femelle d'un rouge éclatant, les naturalistes d'autrefois ont même pensé qu'il s'agissait de deux espèces différentes.*

- *Les étourneaux, comme beaucoup d'autres oiseaux, « prennent des bains de fourmis », se roulant littéralement sur ces insectes. Selon certains ornithologues, ce serait pour se constituer des provisions qu'ils iraient ensuite absorber plus loin. Pour d'autres, ils s'emploieraient à se couvrir de ces minuscules « infirmières » chargées de les débarrasser de leurs parasites. Cet acide formique constituerait enfin, selon d'autres spécialistes, un insecticide.*

- *Les procellariiformes projettent sur leurs agresseurs un liquide gras et très malodorant sécrété par leur estomac.*

très excités, sautent en l'air en battant des ailes et en agitant la tête. Les femelles, qui se sont rassemblées progressivement à la lisière de l'arène, encouragent leurs champions en caquetant.

Dans cette agitation confuse, deux coqs, parfois, se font face et se jaugent. Acte délibéré de choisir un adversaire ? Hasard des rencontres ? Empiétement sur un territoire de danse ? Les ornithologues estiment qu'il s'agirait plutôt d'une tentative de l'un des coqs de pénétrer au centre de l'arène. Là, en effet, plastronnent les tétras les plus robustes, les plus expérimentés, les plus âgés et… les plus recherchés par les femelles ! Quoi qu'il en soit, les mâles irascibles se jettent les uns sur les autres, se frappant mutuellement à grands coups d'ailes et de becs, jusqu'à ce que le vaincu se dérobe.

Une poule, parfois, s'aventure dans l'arène. Elle reçoit alors les hommages empressés de tous les mâles qu'elle croise, ceux-ci s'inclinant devant elle en baissant leur queue, certains allant même jusqu'à se plaquer au sol. La poule, après avoir élu l'un des coqs en s'accroupissant devant lui, s'offre enfin à l'accouplement.

Les « paradeurs » les plus sollicités par les poules sont ceux qui occupent le centre de l'arène, c'est-à-dire les plus âgés ! Ceux-ci peuvent ainsi copuler une soixantaine de fois en moins d'une heure. Chez les gélinottes des armoises, une espèce de tétras nord-américains, les trois quarts des accouplements sont le fait d'un seul mâle, qui peut avoir une demi-douzaine de rapports en quelques minutes seulement, les autres mâles moins chanceux devant attendre un « coup de fatigue » ou une inattention de celui-ci, pour obtenir presque en douce les faveurs des femelles.

Son affaire faite, et, comme toujours, vite faite, le mâle se désintéresse totalement des poules qu'il a fécondées. Celles-ci, peu rancunières, s'en reviennent aux nids qu'elles ont édifiés plus loin et y pondent leurs œufs (de six à dix). Il leur reste à élever seules leurs petits tétras qui ne connaîtront jamais leur fanfaron de père.

Parades nuptiales des tétras lyres, des grues Antigones ou

des colverts ; joutes des chevaliers combattants, qui s'ornent pour la circonstance d'une large collerette de plumes leur servant de boucliers ; fantastiques danses aquatiques des grèbes de l'Ouest qui « courent » sur l'eau en couple tels des patineurs ; duels amoureux et vertigineux des aigles s'agrippant de leurs serres en plein ciel ; concerts extatiques des albatros hurleurs, qui entrechoquent leurs becs dans des simulacres de baisers : la nature est prodigue de ces spectacles aussi éblouissants les uns que les autres. Mais quelle est la fonction de ces exhibitions si spectaculaires ? Si l'on succombait à l'anthropomorphisme, on pourrait supposer qu'elles correspondent à des sortes de compétitions

Oies cendrées.

esthétiques, les plus beaux mâles séduisant les femelles par la splendeur de leurs atours. Mais les ornithologues affirment qu'il n'en est rien. Si les femelles jettent leur dévolu sur les mâles dont les plumages sont les plus chatoyants et les danses les plus spectaculaires, c'est tout simplement parce que ceux-ci témoignent de la sorte de leur vitalité et de leur santé. Et s'ils sont le plus souvent choisis, c'est pour assurer une bonne et saine descendance à l'espèce…

Voici deux jolies histoires sur la séduction chez les oiseaux.

La première concerne un ornithologue qui s'était aperçu que les femelles hirondelles préféraient les mâles pourvus d'une longue queue. Pour en avoir le cœur net, il a découpé aux ciseaux un petit morceau de la queue d'un mâle repéré comme étant particulièrement sollicité par les femelles. Après cette mutilation, celles-ci l'ont effectivement négligé. Son expérience conclue, l'ornithologue a recollé sur l'oiseau les bouts de plumes caudales manquants. Et les femelles se sont de nouveau offertes à lui.

La seconde histoire concerne un oiseau nommé colapte, ou pic flamboyant des Canadiens. Mâles et femelles de cette espèce sont presque identiques. Seuls les mâles portent une sorte de paire de moustaches partant du bec, rouge ou noire suivant les sous-espèces. Cet attribut semblant attirer les femelles, un chercheur a eu l'idée d'affubler l'une de ces femelles colaptes d'une fausse « moustache » dessinée au pinceau. Le

Oies des neiges à l'atterrissage.

Dépliant :
Le grand rendez-vous bisannuel de
centaines de milliers d'oies des neiges
au cap Tourmente, Québec, Canada.

mâle, ne reconnaissant plus sa compagne, l'a promptement chassée du nid. Après l'avoir capturée à nouveau, l'ornithologue a effacé au dissolvant la « moustache » litigieuse. Et tout est rentré dans l'ordre.

Qu'est-ce qui dicte aux oiseaux ces comportements si bizarres ? L'instinct ou l'exemple ? L'inné ou l'acquis ? Par quel mystère un oisillon fauvette, élevé dans une pièce totalement insonorisée, loin des oiseaux de son espèce, va-t-il chanter aussi harmonieusement que les fauvettes en liberté qu'il n'a pourtant jamais entendues ? Pourquoi le pinson des arbres, au contraire, doit-il apprendre le chant de son espèce avec ses parents, étant incapable de l'interpréter seul s'il a été séparé de ceux-ci ? Pourquoi certains jeunes oiseaux parviennent-ils à s'orienter sans l'aide de leurs parents lors de leur première migration, alors que d'autres, et notamment les oies et les cygnes, s'ils ne sont pas « éduqués » par des oiseaux de leur espèce, sont la plupart du temps incapables de migrer seuls ?

Instinct ou apprentissage ? L'un ou l'autre ? L'un et l'autre ? Et en quelles proportions ? C'est un panachage de ces deux données que l'on observe chez les oiseaux, comme d'ailleurs chez tous les vertébrés. Mais tout n'est pas aussi simple : un comportement inné chez une espèce pourra se révéler acquis chez une autre, et inversement, ainsi qu'on l'a vu pour le chant.

Le Pr Jean Dorst traduit l'opinion dominante en affirmant :

« L'apprentissage joue certainement un rôle dans les mécanismes de l'orientation, mais il est loin d'être primordial. L'inné est manifestement le facteur déterminant. »

Une opinion partagée par de grands savants comme Peter Berthold, de l'institut Max-Planck de Radolfzell, en Allemagne, pour lequel la décision de départ, la durée du vol et la direction sont innées.

Mais c'est tout de même au sujet de ces migrations que perdurent les plus grands mystères, ainsi que nous allons l'observer maintenant dans le sillage du *Peuple migrateur*.

Des taches de couleur pour effrayer ou se nourrir

Le caurale soleil, un oiseau d'Amérique centrale et d'Amazonie, a de véritables « yeux » dessinés sur ses ailes qu'il étend pour impressionner ses adversaires. Au nid aussi, les couleurs jouent un rôle primordial. La plupart des oisillons ont l'intérieur du bec très coloré, parfois même parsemé de taches réparties de façon géométrique très précise. Ces taches présentées aux parents constituent de véritables signes de reconnaissance. Les poussins de goéland, par exemple, obtiennent la régurgitation de leurs parents en picotant la tache rouge ornant le dessous du bec de ceux-ci, exactement comme s'ils appuyaient sur un bouton pour déclencher la becquée.

Canard colvert survolant un lac en Languedoc-Roussillon, France.

« *L'intelligence* » *chez les oiseaux*

*S*ujet abordé avec prudence par les ornithologues, l'« intelligence » chez les oiseaux a nourri des travaux controversés, notamment sur la taille de leur cerveau, et a entretenu une littérature souvent avide de sensationnel.

« Ce que fait un chimpanzé, l'oiseau le réalise, et souvent bien mieux : ses habiletés techniques et manipulatoires sont beaucoup plus grandes, et il dispose d'un langage sonore très complexe », affirment par exemple Bernadette et Rémy Chauvin, biologistes spécialistes du comportement animal, et adeptes de l'école Koehler, du nom du scientifique allemand qui s'est employé dans les années 40 à démontrer les performances cérébrales des oiseaux. Pour le couple Chauvin, ce sont les perroquets et les corvidés qui seraient les plus « intelligents », suivis par les migrateurs en raison de leurs facultés d'orientation. En ce qui concerne l'« intelligence » des perroquets, les travaux d'une éthologiste américaine, Irène Pepperberg, semblent donner raison aux partisans de l'école Koehler. Cette éthologiste serait en effet parvenue à « dialoguer » avec un perroquet nommé Alex. Mais le doute subsiste, et cette question reste très sensible chez les ornithologues.

Les comportements de certains oiseaux, il est vrai, laissent songeur. Les goélands, friands des œufs d'autres espèces, mais souvent incapables de les casser, les emportent dans leur bec et les font choir sur des rochers pour s'en régaler. Certains oiseaux vont même jusqu'à utiliser une pierre pour briser la coquille, comme les corbeaux pour casser des noix ou noisettes. Le percnoptère d'Égypte, pour sa part, prend un caillou dans son bec pour briser les œufs d'autruche très résistants. Le pic épeiche « cale » les noix qu'il veut casser dans une anfractuosité ou grâce à des pierres adéquates, créant ainsi un véritable « outil de contention ». Mais ce sont les gypaètes, des rapaces proches des vautours, qui restent les plus étonnants : ils emportent dans les cieux les os des charognes qu'ils ont déchiquetées pour les laisser tomber et les fracasser sur les rochers, afin d'en absorber la moelle, effectuant ce manège plusieurs fois si nécessaire jusqu'à sa réussite.

Les oiseaux révèlent aussi parfois une étonnante dextérité. Capables d'édifier des nids très sophistiqués, de tresser, de faire des nœuds, de creuser des galeries complexes dans le sol et le bois, certains font mieux en se servant d'« outils ». Pour extraire le suc des fleurs, des oiseaux exotiques utilisent une sorte de pipette. Le pinson de Darwin, ou géospize, un petit oiseau vivant sur les îles Galapagos, nous donne un bon exemple de cette aptitude à utiliser un « outil ». N'étant pas pourvu d'une langue assez longue pour extraire les larves dont il se nourrit, il cherche autour de lui une brindille ou une épine de dimension appropriée, dont il va se servir pour cette tâche. S'il n'en trouve pas, il va casser une branchette à la taille souhaitée. On a même constaté qu'il pouvait transporter en vol cet instrument pour le réutiliser plus loin.

Un autre comportement troublant est celui des ocellés, des mégapodes nichant dans les déserts arides du sud de l'Australie. Ils creusent durant près d'un mois dans la terre et le sable des trous mesurant près de 3 m de diamètre. Avec des feuilles et des débris végétaux, ils en tapissent le fond, puis recouvrent ce compost d'une couche de terre ou de sable. Grâce à un tunnel d'accès, la femelle pond ses œufs dans ce matelas végétal devenu tiède grâce à la fermentation. C'est à ce moment-là que se manifestent les comportements étonnants des ocellés. Confrontés aux amplitudes climatiques, ils veillent à ce que leurs œufs demeurent à une température de 33 °C.

Pour ce faire, ils doivent tenir compte de la chaleur diurne, du rafraîchissement nocturne, et même de l'humidité occasionnée par les pluies. S'ils estiment qu'il fait trop chaud dans la « couveuse » végétale, ils découvrent leurs œufs. Parfois, à l'inverse, s'ils jugent que la température est trop basse, ils augmentent la chaleur en rajoutant des matériaux de fermentation. Les ocellés testeraient le niveau de la température grâce à des papilles tactiles situées dans leur bec. Celui-ci leur servirait pour l'occasion de « thermomètre ». On pourrait multiplier les exemples de ces comportements surprenants. Rappelons simplement que de nombreuses espèces réalisent des provisions pour des jours moins fastes, telles les pies grièches, qui empalent leurs proies — insectes, petits reptiles ou rongeurs — sur une épine, voire sur un fil de fer barbelé, afin de se constituer un véritable lardoir. Nombreux sont les oiseaux qui effectuent ainsi des provisions pour l'hiver, espérant retrouver leurs caches, même si elles sont recouvertes par une épaisse couche de neige.

Alors « intelligence » ? Instinct ? Apprentissage ? Les ornithologues préfèrent parler de « capacités cognitives ».

Trois aras bleus et jaunes dans le ciel du Pérou.

«De parfaites machines à voler»

Par Guillaume Poyet, ornithologue conseil du Peuple migrateur.

Seuls les oiseaux sont dotés de plumes. À la fois souple, légère et résistante, la plume répond parfaitement aux exigences de la locomotion aérienne. Ce sont les plumes appelées pennes qui forment la surface de sustentation permettant de voler. Elles sont formées d'un axe central, ou calamus, dont la partie supérieure forme le rachis à partir duquel partent latéralement une série de ramifications : les barbes, les barbules et les barbicelles. Un système de crochets sur les barbules leur permet de s'emboîter entre elles. L'ensemble forme ainsi un véritable tissu à la fois compact et très fin, qui assure en vol une surface lisse et arrondie dépourvue de saillies.

D'un point de vue anatomique, l'oiseau a subi toutes sortes de transformations visant à réduire son poids tout en restant robuste. Le squelette ne constitue qu'environ 10 % du poids total de l'oiseau capable de voler (chez le pigeon seulement 4,5 % du poids total !). Les oiseaux qui volent ont un poids qui varie énormément selon les espèces : de quelques grammes pour les colibris à 15 kg pour les cygnes et les condors.

Les membres antérieurs des oiseaux se sont transformés en ailes, impliquant la disparition d'os et la fusion de certains autres. La plupart des os du squelette, y compris la boîte crânienne, sont creux, dits os pneumatisés, allégeant ainsi au maximum le squelette, contrairement à ceux des mammifères qui sont remplis de moelle. Leur robustesse est assurée par la fusion de certaines vertèbres dorsales, des clavicules, la « fourchette », et d'os dans la région lombaire. Quant au sternum, appelé bréchet, il est très important et renforcé afin de pouvoir supporter les tensions considérables des muscles responsables du battement des ailes qui y sont accrochées. En outre, les principaux organes internes sont concentrés près du centre de gravité, au-dessus du sternum, offrant un bon équilibre aérodynamique. Enfin, l'oiseau possède un système respiratoire particulier constitué de sacs aériens permettant de répondre efficacement aux exigences du vol : métabolisme élevé et oxygénation rapide des muscles.

Du fait de la forme de l'aile, convexe face supérieure et concave face inférieure, l'air se déplace plus rapidement sur la surface supérieure impliquant une poussée sur la face inférieure : la sustentation naturelle est donc créée et permet à l'oiseau de se maintenir à un même niveau. Quant à la propulsion en avant, elle est assurée par le mouvement des ailes.

Les différentes formes des ailes sont liées au style de vie de l'oiseau. Trois grands types de vols sont observés, d'importance plus ou moins grande selon les espèces d'oiseaux : le vol battu, le vol plané et le vol à voile. Le vol battu, encore appelé vol ramé, est le plus pratiqué par les oiseaux. C'est un vol actif. Canards, oies, cygnes, merles, grives et passereaux utilisent fréquemment cette façon de voler. La propulsion est assurée par le battement des ailes. Selon leur forme d'ailes et leur poids, les oiseaux adoptent un vol battu différent : il peut être continu (cas des canards), entrecoupé par des intervalles de planés (cas des

Jeune oie des neiges.

Double page suivante :
Cygne chanteur survolant un lac
à la frontière chinoise.

corneilles), ou encore ondulé lorsque l'oiseau descend en repliant ses ailes, annulant ainsi la traînée entre deux séries de battements qui le font s'élever à nouveau (cas des pics).

Pour des longs trajets, certaines espèces, comme les oies et les grues, se réunissent en groupe et forment un « V » dans le ciel, pointe vers l'avant du déplacement. Cette position permet de surfer sur les tourbillons ascendants engendrés par les battements des ailes de leur voisin et donc de voler avec un moindre effort. Certains oiseaux comme les cormorans adoptent plutôt le vol en file indienne pour les mêmes raisons.

Le vol battu peut être exceptionnellement stationnaire. L'exemple le plus remarquable est celui du colibri, qui peut avoir jusqu'à quatre-vingts battements d'ailes par seconde quand il vole devant une fleur pour se nourrir de son nectar, un record chez les oiseaux (le canard colvert, lui, ne bat ses ailes que cinq fois par seconde). Mais d'autres oiseaux, tels le faucon crécerelle, l'oiseau qui « fait le Saint-Esprit », le martin-pêcheur et les sternes, utilisent également cette technique pour repérer leur proie avant de piquer dessus.

Le vol plané est un vol passif. L'oiseau se laisse porter par l'air et plane sans agiter ses ailes. Plus la surface alaire est grande, plus la distance parcourue sans battre les ailes sera grande. Ainsi le pigeon, pratiquant en général le vol battu, peut parcourir 90 m en descendant et 10 m en vol plané, tandis que les vrais planeurs comme les rapaces dépassent facilement les 100 m, voire les 200 m pour les albatros.

Le vol à voile n'est autre que le vol plané, mais en tirant parti des courants d'air ascendants. Grâce à ce type de vol, l'énergie dépensée peut être réduite de plus de 95 % par rapport à un vol battu ! C'est l'une des raisons expliquant que de nombreux rapaces planeurs ne se nourrissent pas lors de leur migration, telle la buse de Swainson qui voyage du Canada en Argentine sans s'alimenter.

Deux grands types de planeurs se distinguent selon la façon dont les oiseaux utilisent les courants aériens reliés à l'environnement dans lequel ils vivent : les planeurs terrestres et les planeurs marins.

Au niveau des continents, des ascendances thermiques sont créées par les rayons du soleil qui réchauffent le sol et élèvent la température de l'air, surtout au-dessus des espaces dégagés. Des ascendances sont également créées à la surface des reliefs où le vent est refoulé verticalement. Ainsi ces courants aériens, invisibles à nos yeux, véritables colonnes d'air chaud, permettent aux grands rapaces, cigognes ou pélicans, de s'élever et de progresser avec un minimum d'énergie. D'une colonne d'air chaud à une autre, les oiseaux planeurs peuvent se déplacer tout au long de la journée et réaliser leurs migrations.

Ces oiseaux ont généralement les ailes longues et larges.

L'absence de courants d'air chaud au-dessus de la mer implique pour certains de ces grands planeurs de suivre les continents et de limiter au minimum le survol d'étendues marines. C'est pour cette raison que nous pouvons observer lors des migrations aux détroits de

Gibraltar et du Bosphore et dans l'isthme de Panama de formidables regroupements de centaines, voire de milliers de ces oiseaux planeurs, endroits stratégiques qui permettent de relier deux continents avec un minimum de vol au-dessus de la mer.

Les planeurs marins, comme les albatros, les puffins ou encore les frégates, utilisent les ascendances créées par le vent. Pour jouer avec celui-ci, leurs ailes sont longues et étroites.

L'albatros tire profit du fait que le vent augmente en puissance de la surface de la mer vers des altitudes plus élevées. À une dizaine de mètres, l'albatros prend le vent et plane jusqu'au ras des vagues puis, afin de s'élever, il se met à virer dans le vent, ce qui le projette en hauteur, là où la vitesse du vent s'accroît. Ainsi, juste en changeant de direction, mais avec toujours les ailes tendues, l'albatros peut parcourir des centaines de kilomètres sans battre des ailes. Ces voiliers au long cours possèdent même des petits verrous

osseux au niveau du dos leur permettant de voler des heures sans dépenser leur force musculaire pour maintenir leurs ailes tendues.

La plupart des oiseaux volent entre 40 et 120 km/h. Dans les migrations, les oiseaux atteignent des vitesses de pointe de 50 à 70 km/h chez les petits oiseaux, et de 60 à 120 km/h chez les grands.

Le vol est bien sûr impliqué dans de nombreux comportements : les parades nuptiales (vol synchronisé et parallèle du mâle et de la femelle chez l'albatros fuligineux) ; les poursuites et accrochages des serres chez de nombreux rapaces ; la défense du territoire et la recherche de nourriture (plus de 5 % des espèces d'oiseaux se procurent leur nourriture en plein vol, comme les hirondelles ou les gobe-mouches) ; le vol silencieux des rapaces nocturnes obtenu grâce à la face supérieure duveteuse de leurs ailes ; la « fuite » (départ fulgurant des faisans) ou encore la cohésion (vol en groupe serré et synchronisé des étourneaux ou des limicoles formant une véritable entité volante, dont l'une des fonctions est de se protéger de prédateurs comme les faucons).

Issu des reptiles, l'oiseau, au fil du temps évolutif, s'est doté d'un corps très perfectionné pour voler et s'adapter à l'environnement dans lequel il vit.

Pélican blanc d'Afrique.

Double page suivante :
Albatros à sourcils noirs
dans les cinquantièmes hurlants.

Ces musiciens surdoués
sont aussi des imitateurs-nés

Certains oiseaux, et surtout les passereaux, sont capables d'émettre des sons d'une très grande diversité dans un laps de temps si court que l'oreille humaine ne peut en saisir toute la richesse. Le pinson américain est capable de créer de quinze à dix-sept notes différentes par seconde. La grive des bois, dite américaine, peut changer de fréquence deux cents fois par seconde. La locustelle, cousine des fauvettes, produit des sons proches de la stridulation des sauterelles comportant une cinquantaine d'émissions doubles par seconde. Certains oiseaux peuvent émettre jusqu'à trois cents sons différents, eux-mêmes assemblés en phrases. Le rossignol utilise ainsi une dizaine de notes pour lancer une vingtaine de chants différents par individu. Environ deux cents espèces dans le monde chantent en « duo », dont le rouge-gorge et le moineau domestique. Les trois plus grands virtuoses du monde des oiseaux sont le troglodyte de Bewick, le moqueur polyglotte et le troglodyte mignon.

Musiciens surdoués, les oiseaux sont aussi des imitateurs-nés. Ne raconte-t-on pas que le sansonnet apprivoisé de Mozart était capable d'imiter son Concerto pour piano numéro 17 ? Au-delà de la légende, certains oiseaux sont effectivement capables de reproduire les chants d'autres espèces. Les pies, les geais, les étourneaux, les fauvettes de nos campagnes possèdent ce « don ». La rousserolle verderolle est capable d'imiter une quarantaine d'espèces.

En Amérique, on a nommé moqueur polyglotte une espèce particulièrement douée, l'un de ces oiseaux ayant imité une trentaine d'espèces en moins d'une heure. L'oiseau-lyre d'Australie utilise lors de ses parades nuptiales des cris et chants dont les trois quarts proviennent d'autres espèces. Et que dire des étourneaux, des mainates et des perroquets capables de retenir des mots ? Des dressages ont même abouti à faire « converser » entre eux des oiseaux de manière troublante ! « Cela pose le délicat problème de l'intelligence des perroquets. Il reste sans réponse », estime le Pr Jean Dorst.

Inspirés par les oiseaux, de nombreux compositeurs, tels Maurice Ravel ou Olivier Messiaen, ont créé des œuvres utilisant le répertoire aviaire, du rossignol au rouge-gorge. Ces créations artistiques demeurent toutefois approximatives, les instruments de musique n'étant pas en mesure de reproduire l'étendue de la gamme des chants des oiseaux et la diversité des sons qu'ils émettent.

Cygne chanteur.

Double page suivante :
Huîtriers pies et mouettes rieuses,
mer de Wadden, Allemagne.

« Oiseaux, lances levées à toutes frontières de l'homme !
Ils vont où va le mouvement même des choses,
sur sa houle,
où va le cours même du ciel, sur sa roue,
et doublant plus de caps que n'en lèvent nos songes,
ils passent…
et nous ne sommes plus les mêmes. »

Saint-John Perse

Les globe-trotters de l'air

Bernaches nonnettes, Islande.

Bernaches nonnettes, Islande.

Pélicans blancs d'Afrique
survolant le Parc national
du Djoudj au Sénégal.

Bernaches du Canada descendant
l'East River à New York.

Palpitante, l'aube naît sur la plaine. La nature entière s'abandonne au soleil qui se lève.

Très haut dans le ciel, passe une compagnie d'oiseaux migrateurs. Ils survolent au zénith la plaine qui s'éveille. Leur large vol en « V » s'étire, se reforme, puis s'ouvre pour se transformer en une ligne ondulante.

Deux retardataires battent l'air de leurs ailes gris clair ourlées de noir. Silhouettes parfaitement rectilignes, du bec tendu vers l'avant jusqu'aux longues pattes étirées dans le prolongement du corps, les grands oiseaux s'efforcent de rejoindre la troupe.

Appels criards de part et d'autre : les grues célèbrent leurs retrouvailles et s'évanouissent d'un seul coup dans un gros nuage blanc.

Cette année encore, revenues d'Afrique du Nord et d'Espagne par dizaines de milliers, les grues cendrées du *Peuple migrateur* rejoignent les vastes plaines du Nord où elles nichent chaque printemps.

Oiseaux migrateurs ! Deux mots magiques pour l'homme, et cela depuis des millénaires. Dans un tombeau égyptien, n'a-t-on pas découvert des représentations de bernaches à cou roux et d'oies rieuses sans doute destinées à accompagner un pharaon dans son dernier voyage ?

Les siècles ont passé sur la Terre, mais ces deux mots font toujours autant rêver les hommes. Où vont les oies sauvages que l'on voit chaque printemps et chaque automne traverser les cieux ? D'où viennent-elles ? Combien de temps dure leur voyage ? Comment font-elles pour s'orienter dans l'immensité du ciel ? Et cette dernière question que chacun se pose sans doute dans le fond de

son cœur : et si ces oiseaux avaient un message à nous délivrer, un message venu de la nuit des temps que nous ne saurions plus déchiffrer ?

D'abord, une surprise : les migrateurs sont légions ! Près des trois quarts des oiseaux migrent ! En France, sur cinq cents espèces, une petite quarantaine d'oiseaux seulement sont vraiment sédentaires, tous les autres effectuant des déplacements migratoires à des degrés divers. On a calculé que ces voyages aviaires concernaient plus de dix milliards d'oiseaux chaque année, soit davantage d'individus que la population humaine dans son ensemble.

Au printemps, nos jardins se peuplent – se repeuplent – de dizaines d'oiseaux que l'on n'entendait plus : grives, fauvettes, pinsons, pouillots, rouges-queues, bergeronnettes ou hirondelles. Tous ces petits chanteurs s'étaient discrètement éclipsés durant l'hiver, certains ayant effectué d'incroyables périples, tel le traquet motteux, minuscule boule de plumes de quelques dizaines de grammes, parti à des milliers de kilomètres par la seule force de ses ailes ! Les hirondelles rustiques, elles, arrivent en Europe dès la fin du mois de mars, et elles y séjournent tout l'été pour y élever une ou deux couvées successives. Puis, à l'automne, les hirondelles, des oiseaux de moins de 30 cm d'envergure, se regroupent sur les fils électriques et s'envolent toutes ensemble, d'un seul mouvement, vers le sud. Ils traversent la Méditerranée et le Sahara pour aller passer l'hiver dans le sud ou l'ouest de l'Afrique. On a repéré là-bas d'immenses

Cigogne blanche planant
au-dessus du désert libyen.

Les globe-trotters de l'air

«dortoirs» d'hirondelles, dont l'un au Nigeria regroupant près de dix millions d'oiseaux.

Quant aux grives mauvis, elles migrent vers le nord de l'Europe, au printemps, pour aller nicher en Islande, en Europe septentrionale ou en Sibérie. À l'automne, beaucoup d'entre elles reviennent vers le sud pour y trouver un climat plus clément. Ce sont ces petits oiseaux en vols compacts que l'on entend parfois au cœur des nuits d'automne.

Mais revenons aux grands migrateurs, ceux que l'on connaît mieux – ou que l'on croit connaître –, oies, grues, cygnes ou cigognes. C'est au cœur de leurs vols que nous amène pour la première fois *Le Peuple migrateur*.

Où se trouve Bylot ? Les géographes nous préciseront que c'est une grande île située au nord du Canada, au-dessus du détroit de Lancaster, avec le Groenland en face. Une île sauvage et déserte,

> • *Certaines espèces d'oiseaux migrent en famille, comme les oies. Chez d'autres, les parents partent avant les petits. Enfin, certains oiseaux, comme les chevaliers combattants, migrent par vagues successives : d'abord les mâles, puis les femelles, puis les jeunes.*

Oies cendrées se toilettant
entre deux étapes de vol.

Les oiseaux changent de plumes tous les ans

recouverte de neige huit mois sur douze. Les grandes oies des neiges, chaque année, quittent par milliers la côte Est des États-Unis, entre le New Jersey et la Caroline du Nord, pour venir nicher là. Elles franchissent ainsi de 3 000 à 5 000 km. Chaque printemps, en effet, il leur faut retrouver la terre où elles sont nées.

Les oies des neiges arrivent à Bylot juste pour la fonte des neiges, après une dizaine de jours de vol ponctués de quelques longues étapes. Ces magnifiques oiseaux d'un blanc immaculé, très populaires au Québec et dans l'ensemble du Canada, font partie des « acteurs » vedettes du *Peuple migrateur*. Sur la toundra de Bylot encore parsemée de neige, des centaines de couples d'oies des neiges préparent leurs nids. Unis pour la vie, les grands oiseaux s'arrachent le duvet de leur poitrail afin d'en garnir de simples dépressions dispersées dans la nature. Une fois leurs œufs pondus (quatre ou cinq par couple), les parents se relaient pour la couvaison, l'un broutant tandis que l'autre réchauffe le nid, retournant les œufs de temps en temps.

Les jours rallongent et la température se radoucit. Une lumière pâle irradie la toundra vingt-quatre heures sur vingt-quatre : c'est l'été arctique qui commence. Au bout de trois semaines, dans chaque nid, les œufs éclosent presque tous en même temps. Les oisillons ont les yeux grands ouverts. Ils sont couverts d'un duvet jaune. Ils quittent déjà leur nid en pépiant. Tout autour, la neige a fondu, mais il n'y a rien à brouter. Les parents appellent à grands cris les nouveau-nés : il faut partir sur le champ. À pied !

Par douzaines, parfois par centaines, selon les colonies, les oies des neiges, grandes et petites, accomplissent alors un incroyable voyage qui va les mener sur de nouveaux pâturages. Extraordinaire spectacle que celui de ces blancs pèlerins qui franchissent à la queue leu leu, de leur démarche chaloupée, plusieurs dizaines de kilomètres. Si une rivière ou un lac se trouvent sur leur chemin, qu'importe, ils franchissent l'obstacle en nageant, les grands entraînant les petits. Seules ombres au tableau : celles des grands labbes, des goélands ou des renards arctiques qui profitent de l'aubaine pour prélever leur tribut dans ces vulnérables cohortes à plumes.

Arrivées à bon port, au bout de quelques jours de marche forcée, les hordes blanches prennent possession de prairies de bonnes herbes grasses, isolées à l'intérieur des terres, parsemées de lacs où les oiseaux sont à l'abri des prédateurs. Là va commencer pour les adultes une nouvelle épreuve : celle de la mue. À peine installées dans ces sanctuaires mal réchauffés par un pâle soleil arctique, les oies vont perdre peu à peu les grandes rémiges de leurs ailes. De longues semaines passent ainsi avant l'acquisition de leur nouveau plumage.

Lorsque les jours commencent à raccourcir, les oies des neiges s'envolent vers le sud avec leurs jeunes désormais aussi gros qu'elles, mais de couleur grise. Leur migration d'automne survole le Labrador, la péninsule de l'Ungava, le Saint-Laurent, la plus importante escale avant l'arrivée sur la côte Est des États-Unis, but du voyage.

Les oiseaux perdent leurs plumes à une certaine époque de l'année, et parfois même deux fois par an. Ces mues peuvent être partielles ou totales, selon les espèces. Lorsqu'elles sont totales, toutes les plumes des ailes (rémiges) et de la queue (rectrices) tombent en même temps, contraignant les espèces concernées, provisoirement dans l'incapacité de voler, à se réfugier dans des zones isolées et marécageuses, à la fois riches en nourriture et à l'abri des prédateurs. C'est ce qui se passe pour toutes les espèces de canards, de râles et d'oies, dont les bernaches nonnettes qui nichent notamment au Groenland.

Les mues entraînent de grandes dépenses d'énergie chez les oiseaux à mue totale, les contraignant à s'alimenter énormément durant cette période.

Les oiseaux d'une même espèce se dispersent souvent sur des territoires de mue différents. Seule exception notable : les tadornes de Belon qui muent tous en même temps dans les îles de la Frise aux Pays-Bas.

De nombreuses espèces de passereaux effectuent une mue moins brutale qui leur permet de continuer à voler, tels les merles ou les pinsons. Pour certaines espèces, bécasseaux, chevaliers, limicoles, les mues sont réparties dans le temps : les rémiges et les rectrices tombant à la fin de leur voyage migratoire, et non avant, afin de ne pas amoindrir leurs capacités de vol. Beaucoup de passereaux grands migrateurs muent avant le départ. Il est à noter que chez certaines espèces, notamment chez les canards, les oiseaux mâles et femelles peuvent adopter durant la mue, bien qu'ils soient dimorphiques, un plumage identique dit « d'éclipse », leur permettant de passer plus inaperçus durant cette période où ils sont très vulnérables.

Curiosités

• S'il manque de graisse (le « carburant »
du vol) pour terminer sa migration,
le bécasseau maubèche peut s'autocannibaliser
en volant, consommant ses propres viscères,
tel le foie, voire ses muscles,
afin d'atteindre son site de reproduction.

Oies des neiges cherchant leur pitance
dans la vase des bords du fleuve
Saint-Laurent, Québec, Canada.

Cap Tourmente : c'est l'été indien au Canada. Les arbres rougeoient et les oies festoient sur les rives du Saint-Laurent. Ces étapes et ces agapes se prolongent parfois plusieurs semaines. La vie est belle pour les oies des neiges sur le chemin du sud. Si belle que leurs populations, longtemps protégées, ont proliféré à un point tel que les équilibres écologiques sont menacés. À un point tel que leur chasse de printemps a été rétablie. Alors on entend des coups de fusil résonnant au paradis des oies des neiges.

* *
*

Au-dessus d'icebergs rendus bleus par le crépuscule, des oiseaux blancs survolent un rivage désolé où l'océan vient mourir à gros rouleaux.

Dans un bruit de tonnerre, des blocs de glace s'affalent dans l'eau transparente, soulevant des gerbes d'écume. Nous volons maintenant au milieu des sternes arctiques.

Les sternes arctiques ? Tout le monde connaît ces gracieux oiseaux d'un blanc immaculé, au « béret » noir et aux pattes rouge vif, à la queue pourvue de deux longues plumes. Mais qui sait que ces « hirondelles des mers », comme on les appelle communément, figurent parmi les oiseaux de tous les records ? Ce sont les plus grands migrateurs de la planète. Certains partent de l'Arctique pour rejoindre, de l'autre côté de la planète, les confins de l'Antarctique, effectuant ainsi la moitié du tour du monde du nord au sud. Près de 20 000 km effectués deux fois l'an ! Cet exploit semble d'autant plus incroyable que ces oiseaux n'ont pas 40 cm d'envergure.

Allant d'une banquise à l'autre, par-dessus le tropique du Cancer, l'équateur et le tropique du Capricorne, les sternes arctiques sont aussi les êtres vivants qui connaissent le plus d'ensoleillement dans une année : vingt-quatre heures de jour huit mois sur douze, et quatre mois comprenant davantage de jour que de nuit.

Celles que nous voyons survoler les icebergs de l'Arctique, ballottées dans l'azur par les vents, ressemblent de loin à un vol de papillons. Elles arrivent des rivages d'Islande où, sur un îlot inaccessible, sont nés ce printemps leurs petits. Sortis du nid garni de coquillages, au mieux d'herbe et de bois mort, ceux-ci ont appris à pêcher et à voler en quelques semaines, puis ils sont partis en famille vers de meilleures zones de pêche. Au milieu des fous de Bassan, des pétrels, des macareux, des mouettes tridactyles, les sternes plongent dans les eaux cristallines, en rejaillissant avec un petit poisson dans le bec.

Elles prennent des forces avant l'hiver, avant le grand départ. Pêcher sans répit, se nourrir, s'engraisser, accumuler du « carburant » pour effectuer le voyage du retour, se pourvoir de muscles d'acier : les petites athlètes couleur de neige se préparent à l'épreuve.

Dans la clarté d'un matin boréal, les voici parties à travers l'Atlantique Nord, voyageant en petites bandes. Curieusement, le vol de ces championnes du monde paraît incertain. En réalité, elles avancent inexorablement. Leur très long voyage

Dépliant :
L'hiver des cygnes chanteurs
sur l'île d'Hokkaido,
à l'extrême nord du Japon.

Flageolant sur leurs pattes, certains n'arrivent même plus à regagner la rive. Se laissant choir dans l'eau irisée, ils étendent leur cou interminable sur leur dos dans un geste pathétique d'abandon. Puis se laissent peu à peu engloutir par l'eau glauque. Scènes de cauchemar : des têtes aux larges becs font surface, leurs gros yeux rouges devenus fixes. Pourquoi cette horreur ? C'est l'eau du lac. Elle est empoisonnée.

Dans l'obscurité qui gagne peu à peu l'étendue d'eau maudite, on voit rôder des ombres inquiétantes : la curée commence à l'abri du clair-obscur, aigles des steppes, babouins, marabouts, phacochères et autres prédateurs déchiquettent à grands coups de bec, de griffes et de dents les flamants morts ou agonisants.

Fuyant ce cauchemar, les pélicans sont déjà loin. Cette vision de premier matin du monde annoncerait plutôt l'un des derniers soirs de la planète devenue folle…

* *

*

Curiosités

• *De nombreux oiseaux s'égarent lors de leurs migrations en raison des tempêtes. On a retrouvé dans les montagnes du Jura des océanites, oiseaux du grand large, complètement désorientés. Parfois, on rencontre sur les côtes françaises de petits migrateurs américains, tels les parulines ou les phalaropes de Wilson, déroutés par les violentes dépressions de l'Atlantique. On observe régulièrement des passereaux migrateurs asiatiques égarés en Europe. De même, on a retrouvé des oiseaux européens parvenus par erreur au Japon.*

leur long bec tendu vers l'avant, tête rentrée dans les épaules, les gros oiseaux survolent l'Afrique. Un lac immense étincelle au soleil couchant. Là, sont déjà posés des centaines de milliers de flamants roses. Pour ajouter encore à ce rêve éveillé, on discerne des fumerolles sur les berges de ce lac édénique, trahissant son origine volcanique. Vu du ciel, c'est de la beauté à l'état pur.

Le paradis ? On aimerait le croire. Pourtant, au sol, un malaise naît. Pourquoi la plupart des flamants éprouvent-ils tant de mal à se déplacer ?

Couple de sternes arctiques
près de leur nid caché dans les herbes.

Sterne arctique à l'atterrissage
près du nid en Islande.

Immenses nuées de limicoles, formations majestueuses d'oies et de grues, vols diurnes et nocturnes de millions de passereaux, traversées solitaires d'océans et de déserts, regroupements de centaines de milliers d'oiseaux sur les mêmes sites, les migrations constituent l'un des plus spectaculaires phénomènes du monde du vivant. Un phénomène sur lequel il serait illusoire de généraliser, car il prend des milliers de

Doubles pages suivantes :
Troupe de bernaches du Canada dans
Monument Valley, Arizona, États-Unis.

Bernaches du Canada posées dans
Monument Valley, Arizona, États-Unis.

visages, selon qu'il s'agisse de migrations transcontinentales, régionales, locales ; selon que ces migrations s'effectuent à « saute-mouton » ou sans escale ; qu'elles soient en altitude ou en rase-mottes ; qu'elles concernent une espèce entière d'oiseaux, ou seulement une petite partie d'entre eux ; qu'elles empruntent les mêmes itinéraires, ou qu'elles les modifient à chaque fois. On serait tenté de dire qu'il y a autant de migrations qu'il y a d'oiseaux.

En tout cas, migrant depuis la nuit des temps, les oiseaux n'ont jamais rompu avec l'ancienne loi du voyage, allant et venant chaque année entre la terre où ils sont nés et celle qui leur offre un meilleur gîte d'hiver. Pas de frontières, pas de « nationalités », leur seul véritable enracinement se trouve sur la terre où ils ont appris à voler. Les oiseaux migrateurs sont les symboles parfaits de la liberté. Une liberté qui a toujours fasciné l'humanité.

Dans *Le Peuple migrateur*, une scène illustre cette relation respectueuse des hommes avec les oiseaux. Un matin, à la fin de l'hiver, sur un plateau montagneux, un coq chante. De la cheminée d'une ferme sourd un filet de fumée. Une dame âgée sort à petits pas de la grange. Pour elle, la journée commence. Pour les deux grues qui l'observent dans le champ proche, le voyage va reprendre. La grand-mère s'approche des oiseaux, tendant sa main ridée qui serre un épi de maïs. Mais les grues s'envolent. Pour ne plus revenir ? Le peuple migrateur a ses têtes, ses rites. Pour l'approcher, il faut être patient. Il faut aussi de l'amour, beaucoup d'amour…

Les mois ont passé. Ce sont aujourd'hui des volutes de fumée qui sortent de la cheminée. L'automne est là, mais les grues ont retrouvé le champ. Ce matin, la dame a les yeux mouillés quand elle découvre dans sa cour de grands oiseaux immobiles qui semblent l'attendre. À pas prudents, elle s'approche, tend à nouveau un épi. Alors, c'est un petit miracle qui s'opère. Le miracle d'une rencontre que l'on aurait cru hier impossible : les grues, délicatement, viennent picorer les grains jaunes dans la paume grande ouverte.

Grues cendrées près d'une ferme
en Aveyron, France.

Grues cendrées explorant un marais
en Aveyron, France.

Ordre d'arrivée des migrateurs de printemps

- *Dès fin janvier, les rouges-gorges, les merles, les mésanges, les pinsons, les accenteurs, les grives commencent à chanter.*
- *Fin février, voici la sarcelle d'été.*
- *Dès la fin mars, on voit arriver le traquet motteux. Le coucou, qui arrive du Sud en Europe, est l'un des premiers oiseaux à se manifester à l'arrivée du printemps. Son chant bien connu est censé annoncer la saison nouvelle, mais sa véritable fonction est de trouver une femelle.*
- *Le phragmite des joncs nous vient d'Afrique fin mars, et il repart en août ou en septembre. C'est à la même époque que l'on voit les premières fauvettes et les premiers pouillots véloces. L'hirondelle rustique arrive également fin mars, en avril ou en mai, et reste jusqu'en octobre.*
- *C'est en mars ou en avril que l'on aperçoit l'hirondelle des rivages, qui repart en septembre.*
- *Le martinet noir nous arrive fin avril, début mai ; et il repart en août. C'est à la même période que l'on voit la tourterelle des bois, qui repart en août ou en septembre.*

Flamants roses, lac Bogoria, Kenya.

Double page suivante :
Troupe de pélicans blancs, Parc
national de Bharatpur, Inde.

Curiosités

- *Les traquets motteux du nord de l'Europe ont les ailes plus longues que ceux qui nichent plus au sud, afin de voyager plus loin.*
- *Le rouge-gorge qui niche dans l'Europe du Nord descend, lui, jusqu'au Maghreb, contrairement aux rouges-gorges de l'Europe du Sud, qui sont sédentaires.*
- *En France, les rouges-gorges sont généralement sédentaires ou petits migrateurs, sauf ceux des régions montagneuses. Mais dans le sud de l'Angleterre, les femelles auraient tendance à se regrouper pour venir passer l'hiver en France.*

Les plus grands migrateurs

- *Entre 15 000 et 20 000 km : la sterne arctique, le pluvier dominicain, l'albatros hurleur.*
- *Entre 10 000 et 15 000 km : le puffin des Anglais, l'hirondelle de cheminée, la barge rousse, le bécasseau maubèche, le tournepierre à collier.*
- *Entre 5 000 et 10 000 km : le pouillot fitis (quelques grammes et 8 000 km), le faucon d'Éléonore capable de rejoindre les îles de l'océan Indien depuis la Méditerranée, le traquet motteux, l'aigle des steppes.*
- *Entre 2 000 et 5 000 km : le colibri, le phragmite des joncs, la sarcelle d'été, le combattant varié, l'oie des neiges.*

Curiosités

- *Lorsqu'il a atteint sa maturité sexuelle, c'est-à-dire au bout de cinq à six ans, le fou de Bassan retrouve chaque printemps exactement la même vire ou la même plate-forme afin de réoccuper, s'il le peut, l'emplacement précis qui l'a vu naître. Il y arrive un peu avant sa femelle, toujours la même, et ils vont se reconnaître par des cris.*

Pélicans blancs
sur les plages sénégalaises.

Double page suivante :
Troupe de bernaches du Canada
dans le ciel des Adirondacks, États-Unis.

*A*cte de survie, la migration exige des oiseaux de savoir l'heure à tout moment, n'importe où au monde, et de pouvoir se diriger d'après la position du soleil et des étoiles, sans aucun des appareils de mesure inventés par l'homme à cet effet. Parcourir en vol d'énormes distances, même d'une traite, leur est naturel, autant que respirer.

Les migrations des oiseaux sont parfaitement vérifiées de nos jours et abondamment documentées sans avoir rien perdu de leur pouvoir de fascination. Les voyages démesurés accomplis par les migrateurs comptent parmi les performances animales les plus remarquables, mais les questions qu'ils soulèvent sont loin d'être toutes résolues.

Pour ne considérer que l'ouest de l'Ancien Monde, on évalue à 3 ou 4 milliards le nombre d'oiseaux migrateurs originaires de l'Eurasie qui se répandent chaque automne dans l'ensemble de l'Afrique au sud du Sahara. Les effectifs d'une seule espèce, sans doute la plus abondante, le pouillot fitis, un oiseau de 8 g, sont estimés à 900 millions, ceux de l'hirondelle rustique à 220 millions, de l'hirondelle de fenêtre à 90 millions.

Ces voyages amènent des populations entières, la quasi-totalité des passereaux insectivores des zones tempérées de l'hémisphère Nord, à franchir les grandes barrières géographiques, mers, montagnes et déserts, et à couvrir des distances pouvant dépasser 10 000 km. Pour le traquet du Groenland, l'épreuve comporte d'abord un vol transatlantique de 1 800 à 3 000 km avant la première escale possible sur les côtes des îles Britanniques ou d'Espagne. En comparaison,

les parcours effectués par les oiseaux d'Europe continentale semblent presque aisés. Le principal obstacle sur la route du Sud n'est pas la Méditerranée. Les oiseaux planeurs évitent de la survoler en gagnant l'Afrique sur les ascendances thermiques au-dessus des détroits : Gibraltar, détroit de Sicile ou Bosphore. Les autres la franchissent un peu partout, même dans sa plus grande largeur. La grande épreuve d'endurance vient ensuite : la traversée du Sahara. Une fois que les migrateurs s'y engagent, c'est tout ou rien, car se poser en plein désert n'est d'aucun secours. L'oiseau fatigué ne pourra s'alimenter, et même s'il cherche l'ombre, sa déperdition d'eau va s'accélérer au contact du sol surchauffé. Dans ces conditions, la meilleure façon de surmonter l'obstacle est de le franchir le plus rapidement possible, sans s'arrêter.

Du nord au sud, l'étendue désertique à survoler est de 1 500 km au plus court. En diagonale, sur l'axe nord-est / sud-ouest, elle atteint 2 200 km ou davantage. Il est manifeste que de très nombreux migrateurs prennent la diagonale. De multiples observations et reprises d'oiseaux bagués le montrent. En vol, la vitesse de croisière des passereaux n'excède pas 40 km/h. La force et la direction du vent ont donc une grande influence sur la durée de la traversée transsaharienne. Par temps calme, sur le trajet le plus court, il suffit de quarante heures de vol continu, et d'une trentaine tout au plus en automne quand soufflent les vents de nord. Au printemps, du fait des vents contraires, le voyage de retour exige de cinquante à soixante heures, à moins de faire route au nord-est. Dans ce cas, l'oiseau peut rencontrer des vents portants à partir de 2 000 m d'altitude. C'est la direction

Grues cendrées
en Aubrac, France.

Les migrateurs, ces surprenants voyageurs

Par Francis Roux, professeur émérite au Muséum national d'histoire naturelle.

Jeunes cygnes chanteurs.

suivie par la majorité des migrateurs en mars-avril. Quant à l'altitude, des observations au radar montrent que le gros de la migration d'automne au-dessus du Sahara médian se déroule entre 1 500 et 2 000 m, avec des vagues passant à plus de 3 000 m. Les passages doivent se faire plus haut encore quand l'inversion des vents n'a lieu qu'à partir de 4 000 m. Voler à ces hauteurs offre des avantages. L'air est plus frais – au-dessus de 3 000 m il est glacé –, ce qui réduit la déperdition d'eau. Les vols de migrateurs évitent également de cette manière les tempêtes de sable, catastrophiques pour eux s'ils sont surpris au voisinage du sol. Ce faisant, ils s'exposent aux perturbations en altitude qui peuvent être tout aussi fatales. La « pluie » de cailles dont parle la Bible et qui sauva les Hébreux de la famine (Exode, XVI) n'est rien d'autre qu'un accident migratoire dans le désert du Sinaï. Inévitablement, la migration prélève sur les oiseaux un énorme tribut. La moitié tout au plus des passereaux européens qui partent pour l'Afrique en reviennent. Dans le Sahara occidental, quand souffle l'harmattan, le vent d'est brûlant, des vols entiers sont déportés en mer et s'y anéantissent.

Malgré ces pertes sévères, la migration a valeur de survie pour les populations qui l'entreprennent. Elle est un besoin physiologique. Son but est d'assurer aux oiseaux les conditions de vie les meilleures tout au long de l'année. Or, sauf aux latitudes équatoriales où elles sont pratiquement constantes, les conditions du milieu présentent de grands écarts saisonniers. Dans l'hémisphère Nord, en zone tempérée et boréale, l'hiver supprime ou réduit temporairement les sources de

nourriture. Pour les oiseaux, il s'agit d'y échapper et de profiter des conditions de vie supérieures qui règnent au même moment dans les zones tropicales où elles ne durent aussi qu'une partie de l'année. Au nord de l'équateur, ces conditions atteignent leur plus haut niveau en septembre-octobre, terme de la saison des pluies qui détermine une prolifération de végétaux et d'insectes. Puis elles régressent avec la saison sèche : retrait des fleuves dans leur lit, dessèchement des marais, dégradation du couvert végétal, diminution des insectes. Cependant qu'en zone tempérée le printemps revient et recrée les circonstances favorables à la reproduction.

C'est dans cette alternance géographique et saisonnière des meilleures conditions ambiantes que les migrations trouvent leur origine et leur explication biologique. Elles sont la réponse opportuniste d'animaux doués d'une mobilité exceptionnelle aux fluctuations cycliques de leur habitat. Capables de se déplacer vite et loin, ils vont chercher ailleurs, fût-ce à des milliers de kilomètres, ce qui leur fait défaut sur les lieux où ils sont nés. Puis ils regagnent ces lieux pour nicher, forts de l'assurance que procure un territoire connu aux ressources éprouvées par expérience.

Les voyages au long cours ne sont pas à la portée de toutes les espèces. En plus d'aptitudes au vol très développées, ils exigent des capacités particulières. Avant tout d'extraordinaires facultés d'orientation. Les vrais migrateurs savent se déplacer dans une direction donnée, mais ils savent aussi naviguer, c'est-à-dire modifier leur route de vol en fonction de leur destination, traverser des étendues dont ils n'ont

Grues cendrées planant
avant l'atterrissage.

Double page suivante :
Bernaches du Canada survolant le lac
Powell, Arizona, États-Unis.

pas de connaissance préalable et généralement
dépourvues de repères topographiques. Cela suppose un
sens de la navigation vérifiable : la possibilité
d'utiliser des repères astronomiques.

Le premier est le soleil. Les oiseaux le connaissent
bien. Quand ils sortent de l'œuf, ils en perçoivent la
lumière. Ils savent quelle est sa hauteur à midi dans
le ciel du point où ils sont nés, et par suite la position
de leur lieu de naissance. Cette hauteur varie selon les
périodes de l'année. Ils règlent sur elle leur horloge
interne qui leur permet de compenser le mouvement
apparent du soleil selon l'heure du jour et la saison.
Cette horloge, réglée sur le rythme solaire, intervient
dans l'ensemble du cycle physiologique des oiseaux
comme de tous les êtres vivants.

Quand le soleil se cache derrière les nuages, la
sensibilité des oiseaux aux rayons ultraviolets,
imperceptibles à l'œil humain, leur indique encore à
quelle hauteur il se trouve. Quand le soleil se couche,
d'autres astres s'élèvent dans le ciel. La connaissance
que les oiseaux ont des constellations a été amplement
démontrée par des séries d'expériences en planétarium.
Elles établissent que les oiseaux ont en mémoire la
carte du ciel. Or les migrations de grande amplitude
imposent des parcours nocturnes. De plus, la plupart
des grands migrateurs voyagent de préférence la nuit,
bien qu'ils soient diurnes le reste du temps.
Néanmoins, on est loin de
savoir comment sont

utilisés les repères célestes et quels sont, à part leurs yeux et leur cerveau, les instruments de navigation des migrateurs. Il apparaît de plus en plus probable que d'autres sens que la vue soient utilisés conjointement. Des chercheurs américains ont vérifié que les pigeons voyageurs sont sensibles au champ magnétique terrestre. Les oiseaux pourraient mesurer l'angle entre les lignes magnétiques entourant la planète et la verticale résultant de la gravité. Dans l'hémisphère Nord, l'angle entre ces lignes de force correspond au nord magnétique. La découverte de magnétite à la base du corps cérébral des pigeons et de plusieurs espèces sauvages donne de la consistance à cette hypothèse. Elle suggère que les oiseaux disposeraient d'une sorte de boussole.

Quel qu'il soit, le système de navigation des migrateurs au long cours est d'une stupéfiante précision. La technique du baguage qui consiste à poser à la patte d'un oiseau un anneau numéroté permettant une reconnaissance individuelle l'a formellement établi : des passereaux de moins de 10 g réussissent non seulement à retrouver chaque année leur lieu d'origine, mais ils reviennent tout aussi fidèlement à leur site d'hivernage — une mare, un jardin, un bouquet d'arbres —, en dépit des milliers de kilomètres séparant ces lieux très précis.

Naturellement, les migrateurs mettent aussi à profit les repères immédiats pour se diriger : côtes maritimes, vallées fluviales, chaînes de montagnes jouent le rôle de lignes directrices quand elles coïncident avec l'axe général des déplacements.

Chez les grandes espèces qui voyagent en formation organisée — les oies, les canards, les grues —,

la connaissance de la route est mémorisée par les sujets âgés qui ont déjà effectué le parcours et qui sont les leaders. La structure sociale fondée sur la cohésion durable des familles assure aux jeunes de ces espèces la transmission héréditaire de la connaissance des voies et des étapes migratoires.

D'où vient l'émotion que provoque la vue des grands vols de grues ou d'oies sauvages qui traversent le ciel en criant ? Nul n'y est indifférent. Ces migrateurs qui se montrent tous les ans aux mêmes dates, aux mêmes endroits, n'offrent pas seulement un beau spectacle — d'autant plus émouvant qu'il est fugitif —, ils manifestent le constant renouvellement de la vie et de ses cycles dans le temps et dans l'espace.

Ils communiquent un sentiment irrésistible d'ardeur à vivre, ils donnent envie de les suivre dans le ciel.

Pour tous les hommes, partout dans le monde, les oiseaux de passage sont signes de vie et porteurs d'espérance. Depuis la nuit des temps.

Oies cendrées
en Franche-Comté, France.

Que faire si vous trouvez un oiseau bagué

C'est essentiellement grâce au baguage que l'on peut suivre et étudier les déplacements des oiseaux migrateurs. Certes, les premiers radars, au cours de la Seconde Guerre mondiale en Europe, ont révélé les déplacements nocturnes d'oiseaux, et ils ont permis depuis de déterminer avec précision les couloirs aériens de migrations nocturnes. Mais c'est la technique du baguage, initiée à la fin du XIXᵉ siècle par un ornithologue danois, qui a véritablement permis de faire avancer les connaissances en matière de migrations, et surtout de les affiner.

Le baguage consiste à placer sur la patte d'un oiseau, ou même d'un oisillon au nid, une bague en métal très léger portant, en lettres et en chiffres, l'adresse du centre de baguage et un matricule propre à l'individu. Ces mentions, si elles leur parviennent, permettent aux spécialistes d'identifier l'oiseau concerné et de connaître son parcours. Le baguage donne aussi des indications sur l'âge des oiseaux et leur espérance de vie.

De 6 à 7 millions d'oiseaux sont bagués chaque année dans le monde. À lui seul le Centre de recherche sur la biologie des populations d'oiseaux (CRBPO), dont le siège est à Paris, bague chaque année près de 150 000 oiseaux.

On ne retrouve qu'un infime pourcentage de ces oiseaux bagués, mais les indications recueillies sont toujours très précieuses. C'est grâce au baguage que l'on a pu s'apercevoir que des étourneaux capturés à Berlin et relâchés à des centaines de kilomètres étaient revenus à leur point de départ à raison d'un tiers. Des albatros de Laysan bagués, et « dépaysés » de 6 600 km, ont retrouvé leur nid un mois plus tard. On sait maintenant depuis longtemps, après avoir bagué 150 000 hirondelles de fenêtre en Grande-Bretagne, qu'elles passent l'hiver en Afrique.

Au cours de ces dernières années, les balises Argos, émetteurs qui envoient des messages par satellites, ont également permis de suivre « en temps réel » certains migrateurs tels des pélicans, des grues cendrées, des cygnes sauvages, des aigles des steppes, des albatros, des circaètes Jean-le-Blanc ou des cigognes, afin de mieux connaître leurs déplacements et leurs zones d'hivernage.

Mais le baguage reste la technique la plus fiable et la moins coûteuse à l'heure actuelle pour suivre les oiseaux.

Si vous trouvez un oiseau bagué, notez soigneusement la date, le lieu précis et les circonstances de la découverte. Si l'oiseau est mort, ôtez la bague, puis adressez-la au Centre de recherche sur la biologie des populations d'oiseaux (CRBPO), 55, rue Buffon, 75005 Paris. S'il est blessé, confiez-le à tout organisme – clubs d'ornithologues, vétérinaires ou institutions officielles – susceptible d'en prendre soin.

Cigogne blanche avec une bague de couleur qui permet de l'identifier précisément, vignoble alsacien, France.

Il n'y a pas
que les oiseaux qui migrent

Les phénomènes de migration, qui existent sur la Terre depuis l'apparition des animaux, concernent de nombreuses espèces vivantes, y compris les plus minuscules. Ainsi, le zooplancton se reproduit à la surface des océans puis effectue une longue migration verticale en profondeur.

Parmi les insectes, on connaît les migrations de criquets, redoutées tels des fléaux en Afrique ou à Madagascar. Mais c'est le papillon monarque qui est l'un des plus extraordinaires insectes migrateurs, descendant par nuages immenses du Canada au sud de la Californie et au Mexique pour y passer l'hiver, une migration de quelque 6 000 km ! Le retour, lui, est effectué par la nouvelle génération de monarques, les parents mourant sur place. En Europe et en Afrique, ce sont les belles-dames, les vulcains, les sphynx, les têtes-de-mort qui migrent. L'élément liquide abrite aussi de nombreux migrateurs. Il y en a parmi les crustacés, notamment certains crabes, et surtout les poissons, dont les harengs, les thons blancs, les morues et, bien entendu, les anguilles et les saumons, qui peuvent parcourir des distances considérables au sein des océans et même remonter les rivières. Les baleines et les tortues sont également de très grands migrateurs.

Les mammifères terrestres sont concernés par ce phénomène. Il n'y a pas si longtemps, les bisons d'Amérique du Nord parcouraient l'immensité du Far West pour changer de pâturages. Aujourd'hui, les caribous ou les gnous font de même au nord de l'Amérique ou en Afrique.

L'espèce humaine elle aussi a ses migrateurs, même si elle en compte de moins en moins : pasteurs des déserts, nomades sans frontières et, bien sûr, ceux que l'on appelle les « gens du voyage ». Comme si le phénomène des migrations était inscrit au plus profond de l'héritage du vivant.

Grue cendrée planant
dans une ascendance thermique.

Les migrateurs records

- *La sterne arctique, vivant une vingtaine d'années, effectue environ vingt allers-retours de l'Arctique à l'Antarctique.*

- *Des faucons d'Asie traversent régulièrement l'océan Indien, effectuant en trois ou quatre jours des distances de près de 4 000 km sans se nourrir.*

- *La barge rousse détient le record du vol sans escale. Elle parcourt 11 000 km pour traverser le Pacifique, de l'Alaska à la Nouvelle-Zélande. Comme d'autres grands migrateurs, elle réduit volontairement la taille de certains de ses organes, foie, reins, gésier, afin de s'alléger, reconstituant sa « machinerie métabolique » à l'arrivée.*

- *Les minuscules colibris à gorge rubis, qui pèsent seulement quelques grammes, effectuent près de 3 500 km pour se rendre d'Amérique du Nord en Amérique centrale. Au cours de cette migration, ils traversent d'une traite une partie du golfe du Mexique, soit plusieurs centaines de kilomètres sans pouvoir se poser.*

- *Un autre petit oiseau, le traquet motteux, passe du Nouveau Monde à l'Ancien Monde, dont ses lointains ancêtres étaient originaires (à l'époque glaciaire, le détroit de Béring reliait les deux continents). Les traquets motteux continuent donc de revenir en Afrique.*

- *Un tourne-pierre, petit oiseau des grèves et des goémons, a effectué environ 1 000 km par jour en volant presque sans interruption durant trois jours et trois nuits. Cet oiseau bagué s'est rendu d'Alaska aux îles Hawaï à une moyenne de 43 km/h, probablement aidé par les vents.*

- *Le petit phragmite des joncs peut franchir 4 000 km sans escale. Avant de partir, il pèse 23 g, il en pèse 9 à l'arrivée. De petits migrateurs comme lui peuvent voler pendant soixante-quinze heures d'affilée pour traverser la Méditerranée ou le Sahara, à quelque 1 000 m d'altitude.*

- *Le courlis de Tahiti parcourt 3 300 km en vingt-cinq heures, un voyage qui le mène des îles Aléoutiennes en Polynésie.*

- *Un puffin des Anglais, bagué, a traversé l'Atlantique du pays de Galles au Brésil en seize jours, soit plus de 700 km par jour à une vitesse moyenne de plus de 30 km/h.*

Sterne arctique.

Doubles pages suivantes :
Colonie de marabouts nichant
dans un acacia, Kenya.

Bernaches du Canada sur un lac
des Appalaches, États-Unis.

« Il n'y a que les oiseaux, les enfants et les saints
qui soient intéressants. »

Oscar Venceslas de Lubicz Milosz

Ils ont conquis la planète

Manchots royaux marchant
vers la mer, îles Malouines.

Gorfous sauteurs de retour
de la pêche, îles Malouines.

Colonie de manchots royaux,
île Crozet.

Halte dans le désert libyen
pour ces trois cigognes blanches
en migration.

*D*ans les prairies,
toutes les couleurs
sont parties.

C'est l'hiver, la nature se tait. Mais où sont passés les oiseaux ? Dans un buisson rabougri, un cri mélancolique serre le cœur. C'est un rouge-gorge perché sur une branche givrée. Régnant en solitaire sur son territoire gelé, il annonce à tue-tête le prochain printemps. Ce rouge-gorge a traversé quatre saisons. Il vient de loin. Il est âgé de… soixante millions d'années.

Quels étaient les ancêtres des oiseaux ? Prenons notre souffle pour plonger dans l'abîme du temps. Il y a longtemps, très longtemps, plusieurs centaines de millions d'années, des monstres aux becs garnis de dents tournoyaient dans un ciel d'Apocalypse. Ces grands reptiles volants déployaient d'immenses ailes membraneuses, pouvant atteindre 10 m d'envergure. Planant sur les rivages des océans qui recouvraient alors presque toute la planète, ces monstres volants gobaient de leur long bec de crocodile d'étranges poissons dont on a retrouvé des fossiles conservés dans de la vase devenue pierre. La nuit, ces créatures de cauchemar, nommées par les paléontologues ptéranodons ou ptérodactyles, s'accrochaient aux falaises avec les griffes de leurs ailes, comme le font les chauves-souris d'aujourd'hui.

Ces reptiles étaient-ils les ancêtres des oiseaux ? On l'a longtemps cru. Puis les spécialistes, démêlant patiemment l'écheveau embrouillé de l'évolution, ont mis fin à ces fantasmes : les ptérosauriens, créatures dignes d'un film d'épouvante, n'auraient pas laissé de descendance.

Alors, quel serait le premier oiseau ?

Nouveau flash-back sur l'histoire des origines. Le bond en arrière sera d'environ cent cinquante millions d'années. En ces temps vertigineusement reculés, dans les forêts moites du jurassique hantées par les T-Rex, planait d'arbre en arbre une créature un peu plus présentable que les ptéranodons. Avec son corps couvert de plumes, elle ressemblait, si l'on en croit les fossiles exhumés à la fin du XIXᵉ siècle, à une sorte d'oiseau à longue queue. L'archéoptéryx, ainsi que fut nommé l'animal, était-il l'ancêtre tant recherché ? Avec son bec garni de dents, ses trois longs doigts ongulés saillant de chacune de ses ailes, et sa queue qui ressemblait à celle d'un lézard, cet être bizarre se rapprochait plus du reptile que de l'oiseau. Les paléontologues, déçus, ont remis dans leurs tiroirs, sous bénéfice d'inventaire, les fossiles découverts en Bavière.

Plus tard, on a exhumé aux États-Unis un autre fossile pouvant mieux répondre aux attentes des chercheurs. Il s'agissait d'une créature ailée de la taille d'un corbeau, vraisemblablement couverte de plumes. Elle présentait des épaules et des membres supérieurs annonçant ceux de l'oiseau.

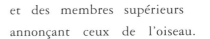

Ils ont conquis la planète

Baptisé *Protoavis texensis* (car découvert au Texas), ce vertébré volant était-il le bon candidat ancêtre ? En tout cas, il a été retenu par la plupart des spécialistes comme l'«oiseau» le plus ancien du monde.

Après lui, sont progressivement apparus sur la Terre, si l'on en croit d'autres fossiles découverts en Arkansas, des oiseaux davantage dignes de ce nom. Des oiseaux, qui plus est, d'espèces différentes. Certains ressemblaient à nos mouettes actuelles, tout en étant munis de dents. On les a nommés *Ichtyornis* (mangeurs de poissons). D'autres paraissaient proches des plongeons que nous connaissons aujourd'hui, sauf qu'ils étaient hauts d'un mètre. On a appelé ceux-là *Hesperornis*. Le problème du lointain ancêtre des oiseaux était-il résolu pour autant ? Nullement, aucune de ces découvertes n'ayant permis d'élucider la fameuse énigme du chaînon manquant. Cette énigme pourrait s'exprimer en ces termes : quelles étaient les créatures ayant permis, à un moment de l'évolution, le passage entre reptiles et oiseaux ?

Quelles que soient les hypothèses, on en revient toujours aux dinosaures. Certains de ces vertébrés auraient réussi à planer dans les airs au terme d'une longue évolution, estiment aujourd'hui nombre de spécialistes. Leurs pattes avant se seraient transformées progressivement en ailes, leur mâchoire en bec et leurs écailles en plumes. Ces dinosaures, devenus bipèdes il y a cent cinquante millions d'années, tel le velociraptor (4 m d'envergure, nommé ainsi car il courait à grande vitesse), seraient à l'origine des théropodes, des créatures géantes couvertes de plumes et pourvues d'un squelette permettant le vol. Ces théropodes seraient les ancêtres des oiseaux, affirment certains paléontologues. En effet, ceux-ci présentaient une clavicule soudée et un os semi-lunaire dans le poignet, leur permettant de le bouger transversalement, conditions nécessaires au vol. Pourtant, tout est loin d'être résolu, car les dinosaures, en vertu de lois les plus élémentaires de la physique, étaient beaucoup trop lourds pour s'élever dans les airs.

Comment font les oiseaux marins pour ne pas mouiller leurs plumes

Plongeant et nageant de façon répétée sous l'eau, les oiseaux aquatiques, qu'ils soient d'eau douce ou salée, ne doivent pas imbiber leur plumage, ce qui les alourdirait et compromettrait leurs performances. Comment font-ils pour assurer à leurs plumes cette étanchéité ? Comme tous les oiseaux, mais de façon beaucoup plus développée, ils disposent au-dessus de la queue d'une glande, dite uropygienne, sécrétant un produit huileux. Après avoir prélevé cette «graisse» avec leur bec, les oiseaux d'eau se la répandent méticuleusement sur le corps. Seuls les cormorans sont dépourvus de cette glande, ce qui explique l'attitude de «crucifiés» qu'ils adoptent sur les branches après avoir pêché : ils font tout simplement sécher leur plumage au soleil ou au vent.

Albatros hurleur.

La « piste dinosaure » serait-elle une impasse ?
Une découverte a mis du baume au cœur de ses
plus chauds partisans : des fossiles de minuscules
théropodes ont été récemment mis au jour en
Chine. Baptisés *Microraptors*, ces dinosaures « de
poche » auraient été en mesure de voler. Ou plutôt, ils auraient pu donner naissance à une lignée
ayant elle-même évolué vers ces vertébrés à sang
chaud que l'on nomme oiseaux. En tout cas, ces
Microraptors chinois nous en ont beaucoup appris
sur l'évolution des plumes.

La seule certitude dont on dispose aujourd'hui,
c'est que les oiseaux descendent des reptiles. Avec
ceux-ci, ils partagent certaines particularités de
leur système nerveux, respiratoire ou circulatoire.
Jusqu'à leurs plumes qui ne seraient que des
écailles évoluées !

Pour en finir avec cette quête du Graal aviaire,
voici la plus incroyable des conclusions avancées
par les évolutionnistes : l'être vivant contemporain avec lequel les oiseaux présentent le plus
de parenté, c'est… le crocodile !

Mais que nomme-t-on précisément « oiseaux » ?
L'Académie répond en ces termes : ce sont des vertébrés ovipares, couverts de plumes, à respiration
pulmonaire, à sang chaud, dont les membres posté-
rieurs servent à la marche et dont les membres
antérieurs, ou ailes, au vol (hormis pour les
aptères, autruches et autres nandous, ayant perdu
la pratique du vol).

Si l'on abandonne cette quête infructueuse du
mystérieux ancêtre commun, on peut tout de

Albatros à sourcils noirs,
îles Malouines.

même se demander à quel moment de véritables oiseaux, c'est-à-dire présentant toutes les caractéristiques requises par la définition ci-dessus, sont réellement apparus sur la Terre. Y a-t-il des dizaines de milliers d'années? Des millions d'années? Des dizaines de millions d'années? Il nous faut à nouveau effectuer un bond dans le passé pour rencontrer des oiseaux en chair et en plumes ressemblant à ceux que l'on connaît aujourd'hui. Un bond de... plus de soixante millions d'années! C'est à l'époque du crétacé qu'apparaissent en effet les premiers oiseaux dignes de ce nom : de petits échassiers, des râles, des cormorans, presque comparables à leurs congénères actuels.

Dix millions d'années plus tard, la famille oiseau se diversifie avec des oies, des canards, des fous, des courlis, des poules d'eau, des rapaces, des chouettes, lesquels volent, pondent et couvent exactement comme ceux d'aujourd'hui. Si un ornithologue contemporain disposait de la machine à remonter le temps, et s'il se projetait de trente à trente-cinq millions d'années en arrière, il ne se trouverait pas trop dépaysé : il rencontrerait des grands tétras, des pélicans, des vautours, des manchots, des puffins, des flamants, des canards, des vanneaux, des chouettes, des moineaux et beaucoup de passereaux presque identiques à ceux qu'il connaissait déjà. Et si cet ornithologue décidait de revenir vers le présent de dix millions d'années, il se sentirait encore plus «comme chez lui», ou plutôt comme en Afrique, en atterrissant dans les forêts du miocène au cœur

Albatros hurleur, île Crozet.

Les oiseaux qui volent le plus haut

À part les vautours, et notamment ceux de l'espèce dite de Rüppel, dont l'un aurait heurté un avion de ligne à plus de 11 000 m d'altitude, les oiseaux « les plus hauts » du monde sont :

• les oies à tête barrée, qui franchissent l'Himalaya deux fois par an, lors de leurs migrations entre la Chine et l'Inde, à plus de 9 000 m ;

• les cygnes chanteurs, dont on a aperçu certains individus à plus de 8 000 m entre l'Islande et l'Angleterre ;

• les martinets noirs, qui atteignent également ces altitudes lorsqu'ils suivent des nuées d'insectes emportées par des bulles d'air chaud ;

• les barges à queue noire, qui peuvent voler à 6 000 m ;

• les cigognes, qui atteignent 4 800 m ;

• les vanneaux huppés, qui s'élèvent à 3 900 m, les grives à 3 300, les cygnes américains à 2 700 m, les oies des neiges à 1 500 m, les pinsons à 1 000 m. En dessous de cette altitude, on rencontre la majorité des oiseaux, principalement les passereaux qui regroupent près de la moitié de toutes les espèces.

Albatros à sourcils noirs au-dessus des quarantièmes rugissants, îles Malouines.

desquelles il pataugerait parmi pélicans, marabouts, ibis ou perroquets.

Les oiseaux, sans changer d'apparence depuis la nuit des temps, viennent donc de loin. De beaucoup plus loin que l'homme en tout cas. Lorsque l'*Homo sapiens,* un mammifère poilu parmi tant d'autres, est apparu sur la Terre, les oiseaux tels qu'ils existent aujourd'hui volaient déjà depuis des millions d'années. De quoi rester modeste…

Il n'est pas un endroit de notre planète que les oiseaux n'aient progressivement colonisé. Pas une région, sur les terres ou les mers, de l'Arctique à l'Antarctique, de l'Ancien Monde au Nouveau, qu'ils n'aient gagnée par la force de leurs ailes et qu'ils fréquentent toujours aujourd'hui : des déserts torrides aux icebergs glacés, des sommets vertigineux aux îles désertes, des toits de nos cités aux cimes des forêts vierges, des édens idylliques aux enfers invivables, les oiseaux sont partout. Ce sont même les seuls vertébrés à avoir si parfaitement pu – et su – conquérir la planète. Les seuls à se jouer aussi efficacement des contingences terrestres, en tête desquelles la pesanteur.

« Toi dont je n'ai jamais entendu la voix, je suppose que tu dois ton nom au territoire où tu règnes en seigneur : les cinquantièmes hurlants. Ma fascination est totale. Comment la nature a-t-elle pu créer cette pure merveille ? Je rêve de pouvoir comme toi m'affranchir de la pesanteur pour parcourir l'océan de vague en vague. Tu es un être privilégié parmi les animaux, ton milieu n'a pas changé, ton espace ne s'est pas réduit, et

tu jouis de la même liberté qu'il y a des siècles. »
C'est le navigateur Yves Parlier, fasciné par le spectacle d'un albatros hurleur escortant son fragile esquif dans les tempêtes des mers du Sud, qui a écrit ces mots dans son journal de bord.
L'albatros, l'une des plus impressionnantes vedettes du *Peuple migrateur,* est une légende ! Près de 4 m d'envergure, l'un des plus grands oiseaux du monde (avec le condor des Andes), un « prince des nuées » aux « ailes de géant » naguère chanté par Baudelaire. Mais ce qui fait la singularité de ce planeur hors pair, capable d'effectuer des milliers de kilomètres sans dépenser d'énergie, c'est son « choix de vie » : l'albatros, oiseau pélagique par excellence, passe plus de 90 % de son existence en haute mer, survolant solitairement les océans, ne venant qu'exceptionnellement sur la terre ferme – de minuscules « cailloux » perdus dans l'immensité de l'hémisphère Sud – pour s'y reproduire.
« Les rafales doivent bien atteindre les 150 ou 180 km/h. L'eau des cascades remonte sans atteindre le sol, raconte l'un des cinéastes du *Peuple migrateur* ayant séjourné sur l'île Crozet. Nous tentons une courte sortie, pliés en deux contre le vent. On marche à 45° d'angle en se dirigeant vers le champ des albatros. Les oiseaux sont parfaitement indifférents à ce qui se passe, bien campés sur leur nid, tous orientés face au vent. »
Cette description impressionnante, qui témoigne de la noblesse et du stoïcisme des albatros, est extraite du journal de bord de Thierry Thomas, chef opérateur animalier du *Peuple migrateur,* qui

Les gangas, dont beaucoup d'espèces vivent dans les milieux arides de l'Ancien Monde, n'hésitent pas à effectuer de très longues distances, pouvant atteindre une centaine de kilomètres, afin d'aller s'abreuver dans des points d'eau permanents. Après avoir « fait le plein », les gangas s'ébrouent longuement dans l'eau afin de s'humecter le plumage, notamment leur ventre couvert de duvet d'un type particulier. Seuls les mâles pratiquent ces bains d'imbibition destinés à ramener de l'eau à leurs petits. Véritables petits Canadair, ils retournent à tire-d'aile à leurs nids. Arrivés à bon port, les gangas se dressent sur leurs pattes et présentent leur plumage à leurs poussins. Ceux-ci, avides, essorent avec leur bec chaque plume pour en recueillir le précieux liquide.
Les tourterelles des régions sahéliennes se rendent quotidiennement, elles aussi, à des points d'eau à l'époque des nids. C'est en régurgitant le contenu de leur jabot qu'elles abreuvent leurs petits.

Cet albatros à sourcils noirs
attend la brise qui le soulèvera
dans les airs, îles Malouines.

est resté isolé sur l'île Crozet durant plusieurs mois avec trois coéquipiers.

Là où vivent ces oiseaux de l'extrême, entre quarantièmes rugissants et cinquantièmes hurlants, personne, hormis quelques navigateurs, n'ose s'aventurer. Mais les albatros, eux, semblent heureux de vivre dans cette apocalypse liquide. Rien ne leur convient mieux que la colère des océans. La tempête est leur élément. Pour planer à

quelques mètres au-dessus des vagues, ces grands oiseaux d'argent ont besoin de vents. Plus ceux-ci sont violents, plus les albatros sont contents. Le beau temps les navre. Il paralyse leur vol somptueux, les contraignant à attendre, posés sur l'eau étale comme de vulgaires mouettes, que viennent les rafales.

« Quand il y a une dépression sur les mers australes, raconte Yannick Clerquin, un ornithologue de Galatée Films ayant également séjourné sur Crozet, ce phénomène crée un véritable mur noir sur l'horizon. Et sur ce mur, on distingue des points de lumière s'agitant en tout sens. Ce sont les albatros, comme enivrés par la tempête qui arrive. »

Grâce aux balises Argos, on sait maintenant que ces oiseaux, nommés par les Anglais *wandering birds* (oiseaux errants), sont capables de parcourir des distances de plusieurs milliers de kilomètres en se laissant simplement emporter par les vents d'ouest, atteignant des vitesses de pointe de 80 km/h. En un an, ils peuvent ainsi boucler plusieurs tours du monde, sans toucher terre, entre 40° et 60° de latitude sud !

Ces voyages solitaires sur l'immensité des mers du Sud peuvent durer plusieurs années. Puis, dans la splendeur de leur plumage nuptial, les jeunes albatros retrouvent les « cailloux » perdus qui les ont vus naître, tel Crozet, et là, ils exécutent d'incroyables ballets : leurs ailes déployées, ils tournent sur place, entrechoquant leurs becs énormes dans un simulacre de baiser.

Chez les albatros, la couvaison de l'unique œuf du nid dure trois mois, la plus longue chez les

Albatros hurleur dormant le bec enfoui sous l'aile, île Crozet.

Albatros à sourcils noirs surplombant sa colonie de nidification, îles Malouines.

oiseaux. Le poussin sera nourri d'une « bouillie » de poissons et de calmars régurgitée par ses parents de retour de pêches lointaines, leur absence, donc le jeûne du poussin, pouvant durer une semaine.

La mortalité des jeunes albatros est très élevée : près de 60 % disparaîtront durant leur jeunesse ! Mais, comme pour compenser ce taux considérable, l'espérance de vie des albatros adultes est la plus élevée de tous les oiseaux : environ 95 % d'entre eux mourront de leur belle mort à cinquante ans, voire à soixante-dix ans. Cette longévité unique dans le monde des oiseaux constitue un nouveau record pour les albatros, avec celui de la fidélité, les couples restant unis jusqu'à la mort même s'ils se perdent de vue durant des mois chaque année.

Autres légendes vivantes que l'on côtoie dans *Le Peuple migrateur* : les manchots des terres australes. Depuis peu, les scientifiques ont su percer certains des mystères concernant les aptitudes exceptionnelles de ces oiseaux à s'adapter à des conditions aussi extrêmes que celles de l'Atlantique Sud. Une équipe d'ornithologues – français, allemands et anglais – a étudié les performances aquatiques des manchots royaux (une espèce un peu plus petite que les manchots empereurs), qui peuvent plonger jusqu'à 300 m de profondeur, et ce durant huit minutes. Ils accomplissent ces exploits, impensables pour l'homme, sans effort apparent, les renouvelant même des dizaines de fois par jour au cours de leur période

Manchot royal avec son œuf posé
sur les palmes, îles Malouines.

de pêche. Les chercheurs ont élucidé cette énigme : l'oiseau, ont-ils constaté, refroidit volontairement certaines parties de son corps afin de « brûler » moins d'énergie en plongée. Il provoque volontairement dans son organisme une hypothermie (refroidissement) localisée, une aptitude unique dans le monde animal. Si certains mammifères, tels les loirs, les marmottes ou les hérissons, sont capables de s'infliger une telle hypothermie, celle-ci est généralisée et les plonge dans un profond sommeil. Celle des manchots paraît, et de loin, beaucoup plus subtile. Il est vrai que d'autres oiseaux nous offrent des exemples de « mise en hibernation » volontaire : les colibris des Andes, en cas de grands froids, peuvent se réfugier dans des grottes où leur température interne peut descendre de 40 °C à 19 °C.

Des chercheurs français du Centre d'écologie et de physiologie énergétique du CNRS, basé à Strasbourg, ont également suivi l'odyssée parentale des manchots royaux de l'île Crozet que nous voyons dans *Le Peuple migrateur*. Ceux-ci effectuent jusqu'à 700 km pour aller pêcher, mais il arrive assez souvent – quatre fois sur dix – que les femelles reviennent à terre lorsque leur petit, confié au conjoint, est déjà né. Le poussin, dans ce cas, aura été nourri par le père durant ses premiers jours. Mais avec quoi, puisque celui-ci jeûne depuis plusieurs semaines ? Des scientifiques français, sous la conduite du Pr Yvon Le Maho, l'un des meilleurs spécialistes des manchots, ont élucidé ce mystère : les oiseaux mâles gardent « sciemment » dans leur estomac

Manchot royal couvant ;
l'œuf est protégé par un repli de peau
du ventre, îles Malouines.

de la nourriture afin de la régurgiter dans le bec de leur poussin si la femelle se fait trop attendre. Le plus étonnant, c'est que les papas manchots, qui vivent pourtant sur leurs réserves, « interdisent » à leur organisme de digérer cette provision de nourriture qu'ils parviennent même à conserver fraîche à 38 °C dans leur estomac. Un autre mystère à éclaircir…

**
*

Des tempêtes de l'Atlantique Nord au blizzard de l'Antarctique, les oiseaux supportent donc tous les climats. Les rares humains à s'être aventurés près du pôle sud, au milieu des glaces battues par le vent, l'une des régions les plus inhospitalières du monde, ont eu la surprise d'y rencontrer des pétrels des neiges, seuls êtres vivants à survivre dans ces immensités glacées.

On rencontre également des oiseaux dans les savanes, les steppes et les déserts les plus torrides de la planète, là où la vie n'est représentée que par quelques reptiles, insectes ou petits mammifères. Des perruches d'Australie aux alouettes du Sahara, des syrrhaptes d'Asie centrale aux géocoucous du Far West (le fameux bip-bip des dessins animés américains), des tourterelles d'Afrique du Sud aux éperviers d'Arabie, les oiseaux ont vaincu les déserts les plus inhospitaliers. Certaines espèces vivent à demeure dans des régions où la température peut culminer à 70 °C. Ces oiseaux de l'extrême ont résolu les problèmes d'hydrata-

tion à leur façon : certains se contentent de la sève des cactus ; d'autres de la rosée du matin ; d'autres encore, comme les rapaces, des sucs de leurs proies (lézards ou petits rongeurs) ; d'autres enfin ont choisi le nomadisme, tels les canards ou les flamants roses, se déplaçant solitairement ou en groupes immenses vers les endroits où il vient de pleuvoir. Comment ces pèlerins de la pluie sont-ils avisés de ces précipitations, survenues parfois à des centaines de kilomètres ? Cela reste une énigme pour les scientifiques. Peut-être sont-ils pourvus d'un sens mystérieux, un « sixième sens météorologique » qu'ils partageraient avec quelques mammifères du désert, dont les fameuses antilopes addax ? Quoi qu'il en soit, ces oiseaux nomades ne perdent jamais de temps : dès que le tapis herbacé se crée, certains entament sur le champ de brèves parades nuptiales, s'accouplent immédiatement et se lancent dans la construction de leurs nids comme s'ils savaient que cette aubaine n'allait pas durer…

Autre étrangeté des oiseaux déserticoles : beaucoup d'entre eux n'observent pas un cycle annuel de reproduction, comme les autres oiseaux. Ils sont en permanence en état de procréer et ne choisissent de le faire qu'au moment approprié, c'est-à-dire quand la pluie tombe, un événement qui peut attendre des mois, voire des années. D'autres, tels les colins de Californie, ne se reproduisent pas les années de sécheresse, mais seulement lorsque les pluies reviennent. Ils nidifient et pondent d'autant plus d'œufs que cette stérilité programmée a été longue.

Manchot papou appelant
son conjoint, îles Malouines.

Manchot papou, îles Malouines.

Scène de tendresse entre un gorfou
sauteur et son poussin, îles Malouines.

Gorfous sauteurs, îles Malouines.

Notons enfin que les oiseaux du désert ont un plumage pâle lorsqu'ils vivent sur des secteurs à sol clair et plus foncé lorsqu'ils vivent sur des sols sombres. Cette originalité s'expliquerait par un souci de se confondre avec le sol afin d'échapper aux prédateurs, rapaces, renards ou chacals. Des ornithologues ont cependant observé que la coloration des plumes est fonction de l'humidité ambiante. Plus l'hygrométrie est élevée, comme dans les zones tropicales, et plus les plumes présentent des couleurs vives, et inversement. Ainsi, la même espèce d'oiseaux n'exhibera pas le même plumage selon sa zone de distribution.

* *
*

Du sable à l'eau, il n'y a qu'un pas, ou plutôt qu'un battement d'aile, que l'on va effectuer au milieu des oiseaux marins du *Peuple migrateur*. Contrairement à ce que l'on pourrait penser, les oiseaux liés au milieu aquatique ne sont pas les plus nombreux, seulement 11 % des oiseaux. Il y a en fait deux types d'oiseaux de mer : les littoraux, tels les goélands et les mouettes, qui ne s'éloignent pas trop des côtes, ou rarement, et les oiseaux dits pélagiques, comme les pétrels, les puffins ou les albatros, ces grands seigneurs de la haute mer, faisant partie des « têtes d'affiches » du *Peuple migrateur*.

Tempêtes, glaces, déserts, océans, les oiseaux ont donc conquis la planète. Dans le ciel aussi,

comme il se doit, ils battent des records, volant à des altitudes impensables. Quand l'homme voyage en avion dans les hautes couches de l'atmosphère, il se croit sans doute le seul être vivant à atteindre ces altitudes extrêmes où l'oxygène est rare et le froid insupportable. Sait-il, assoupi dans son fauteuil, qu'il croise peut-être des oiseaux? Les oies à tête barrée, qui ne pèsent que de 2 à 3 kg, sont en effet capables de voyager dans les airs à plus de 9 000 m d'altitude par des températures de – 50 °C. Un pilote

aurait même heurté à plus de 11 000 m un vautour de Rüppel. Cet incident exceptionnel a été relevé sur son rapport de vol, les instruments de l'avion en faisant foi et les traces de l'impact ayant été observées au sol. Sans ces preuves matérielles, personne n'aurait jamais cru cet incident possible. À ces altitudes, aucun être en principe ne peut vivre.

Aucun, sauf des oiseaux…

Comment font les oiseaux pour boire en pleine mer

Les oiseaux sont les seuls vertébrés, avec les tortues et les iguanes des Galapagos, à supporter de vivre durablement dans un milieu hypersalé. Comment font-ils pour s'abreuver? Les biologistes ont d'abord imaginé que les oiseaux possédaient un système d'élimination rénal spécifique. Mais cette piste n'a pas abouti. Intrigués par de petites glandes que les oiseaux marins présentent au-dessus de leurs orbites, logées dans de courts sillons — une particularité que ne présentent pas les autres oiseaux —, les ornithologues ont orienté leurs recherches dans cette direction: les sécrétions s'écoulant de ces « narines », très profondes chez les albatros, contiennent en effet 5 % de sel, soit davantage que l'eau de mer (3 %). Ces glandes, tapissées de cellules qui aspirent littéralement le sel marin contenu dans le sang, constituent de véritables filtres physiologiques. Grâce à ces « reins artificiels », les oiseaux de mer évacuent le surplus de sel qu'ils absorbent dans leurs aliments.

Gorfous sauteurs en route vers la mer, îles Malouines.

Gorfou sauteur, îles Malouines.

Double page suivante :
Anhinga d'Asie se séchant les ailes,
Parc national de Bharatpur, Inde.

Les acteurs du *Peuple migrateur*

« Je pense que je pourrais vivre parmi les animaux, tant ils sont paisibles
et réservés. Je les observe depuis longtemps et ne les vois pas gémir
sur leur condition, ni rester éveillés, la nuit, pleurant sur leurs péchés.
Ils ne m'écœurent pas à discuter de leurs devoirs envers Dieu,
aucun n'est insatisfait, aucun n'est obsédé par la rage de posséder les choses,
aucun ne s'agenouille devant un autre ni devant ceux de son espèce
qui vécurent il y a des milliers d'années, aucun, sur toute la Terre,
ne se veut respectable ni pitoyable. »

Walt Whitman

De l'Europe du Nord à l'Afrique

BERNACHE NONNETTE
Branta leucopsis

Longueur : de 58 à 71 cm

Envergure : de 130 à 145 cm

Poids : de 1,3 à 2 kg

Vol : 60-80 km/h

Caractéristiques : cette jolie petite oie niche en colonies lâches installées dans des falaises à l'abri des prédateurs comme le renard polaire. Ses poussins sont nidifuges. Très sociale en hiver qu'elle passe en grandes troupes bruyantes dans des prairies humides proches de la mer. Herbivore. On l'appelle nonnette en référence au dessin noir et blanc de sa tête et de son cou. En fin de reproduction, elle mue totalement, ce qui l'empêche de voler durant trois à quatre semaines.

OIE CENDRÉE
Anser anser

Longueur : de 75 à 90 cm

Envergure : de 150 à 180 cm

Poids : de 2,5 à 4,1 kg

Vol : 60-80 km/h

Caractéristiques : c'est l'oie grise la plus commune, à l'origine de l'oie domestique. Elle vole en formation en V lors des migrations. Elle est herbivore et ses poussins sont nidifuges. Elle fréquente les zones humides. Agressive sur son territoire de reproduction, elle devient très grégaire en hiver et migre en grands groupes. En fin de reproduction, elle mue totalement, ce qui l'empêche de voler durant trois à quatre semaines.

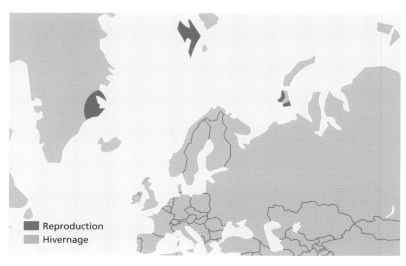

Reproduction
Hivernage

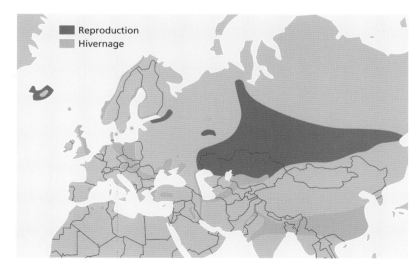

Reproduction
Hivernage

GRUE
CENDRÉE
Grus grus

Longueur : de 110 à 120 cm

Envergure : de 220 à 245 cm

Poids : de 5,1 à 6,1 kg

Vol : de 45 à 70 km/h

Caractéristiques : la grue cendrée, l'un des plus grands oiseaux d'Europe, habite les grandes forêts humides du nord de l'Europe et de la Russie. Omnivore. La parade nuptiale est une danse spectaculaire accompagnée de cris. Elle a deux poussins nidifuges. Solitaire pendant la reproduction, elle migre en grands groupes en direction de l'Espagne. En hiver, elle se nourrit dans les espaces découverts, souvent des zones cultivées. Son cri en migration est caractéristique et repérable de très loin.

STERNE
ARCTIQUE
Sterna paradisaea

Longueur : 36 cm

Envergure : de 76 à 85 cm

Poids : de 86 à 127 g

Vol : 40 km/h

Caractéristiques : c'est l'un des oiseaux qui accomplit les plus longues migrations. Sa taille fine et aérodynamique prolongée de deux longues plumes caudales en fait un merveilleux et élégant voilier. Niche en colonie sur le sol d'espaces dégagés auprès des côtes marines. Comportement très territorial et agressif envers les intrus. Piscivore. La sterne arctique plonge sur sa proie du haut des airs, après un court vol stationnaire. Avant et pendant la nidification, le mâle offre souvent de petits poissons à sa femelle.

Reproduction
Hivernage

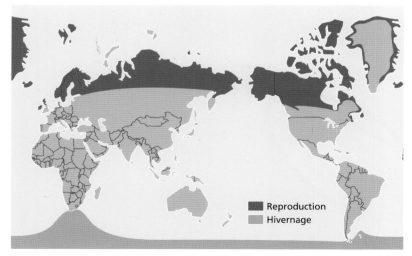

Reproduction
Hivernage

De l'Europe du Nord à l'Afrique

PÉLICAN BLANC
D'AFRIQUE
Pelecanus onocrotalus

Longueur : de 140 à 175 cm

Envergure : de 234 à 360 cm

Poids : de 9 à 15 kg

Vol : de 30 à 50 km/h

Caractéristiques : figurant parmi les plus grands oiseaux volants du monde, il court à la surface de l'eau pour prendre son envol. Il plane dans les ascendances thermiques mais il est aussi capable d'un vol battu soutenu. Il vole le cou replié pour mieux soutenir le poids de son énorme bec. Piscivore. Les pélicans blancs pêchent collectivement, en demi-cercle, de manière à rabattre les poissons vers le centre de la formation. Le pélican utilise sa poche gulaire – d'une contenance d'une dizaine de litres – à la manière d'une épuisette. Niche en colonie. Poussins nidicoles.

CIGOGNE
BLANCHE
Ciconia ciconia

Longueur : de 100 à 115 cm

Envergure : de 175 à 195 cm

Poids : de 2,3 à 4,4 kg

Vol : 45 km/h

Caractéristiques : ce grand oiseau planeur ne migre que le jour car il utilise les ascendances thermiques créées par la chaleur du soleil. Plumage noir et blanc caractéristique. Bec et pattes rouges vifs. Omnivore. Poussins nidicoles, qui ne quittent le nid qu'à la taille adulte et sachant voler. Fréquente surtout les milieux ouverts, humides ou secs. Le nid est perché sur un arbre ou une construction humaine. Généralement silencieuses, les cigognes se saluent au nid en claquant du bec de façon très sonore.

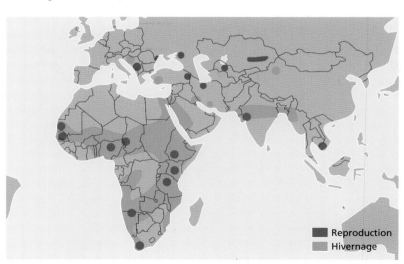

Reproduction
Hivernage

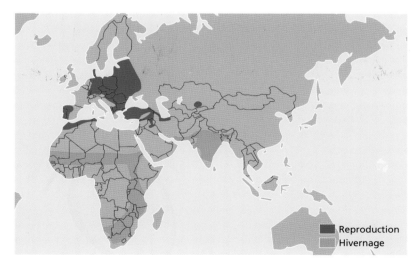

Reproduction
Hivernage

Groenland
(DAN.)

MER DE
NORVÈGE

Jan Mayen
(NOR.)

BERNACHE
NONNETTE

ISLANDE

Vatnajökull

REYKJAVÍK

FINLANDE

GRUE
CENDRÉE

OIE CENDRÉE

Chaîne scandinave

GRUE CENDRÉE

OIE
CENDRÉE

HELSINKI

NORVÈGE

OSLO

SUÈDE

STOCKHOLM

TALLINN

ESTONIE

RUSSIE

OCÉAN
ATLANTIQUE

STERNE ARCTIQUE

BERNACHE NONNETTE

Monts
Grampians

MER
DU NORD

DANEMARK

COPENHAGUE

MER
BALTIQUE

RIGA

LETTONIE

LITUANIE

VILNIUS

RUSSIE

MINSK

DUBLIN

ROYAUME-
UNI

RÉPUBLIQUE
D'IRLANDE

LONDRES

PAYS-
BAS

AMSTERDAM

BERLIN

POLOGNE

VARSOVIE

BIÉLORUSSIE

LA MANCHE

BRUXELLES

BELGIQUE

ALLEMAGNE

PRAGUE

KIEV

PARIS

LUXEMBOURG
LUX.

UKRAINE

FRANCE

BERNE
SUISSE

Alpes

MOLDAVIE

CHISINĂU

Massif
Central

ITALIE

ROUMANIE

BUCAREST

CIGOGNE
BLANCHE

Monts
Cantabriques

Pyrénées

ANDORRE

Cigogne blanche

BULGARIE

MER
NOIRE

SOFIA

Corse

PORTUGAL

MADRID

Îles Baléares
(ESP.)

Sardaigne

Monts
du
Pinde

GRÈCE

ANKARA

Açores
(POR.)

LISBONNE

ESPAGNE

Sierra
Morena

MER MÉDITERRANÉE

ATHÈNES

Anatolie

TURQUIE

Taurus

MER ÉGÉE

NICOSIE

CHYPRE

LA VALETTE
MALTE

0   500 km

Madère
(POR.)

MAROC

Atlas

ALGÉRIE

TUNISIE

LIBYE

OCÉAN
ATLANTIQUE

FRANCE
Massif
central
Cantabriques
Pyrénées
ANDORRE
PORTUGAL
MADRID
LISBONNE
ESPAGNE
Baléares
(ESP)
Les Açores
(POR.)
Madère
(POR.)
RABAT
MAROC
Canaries
(ESP.)
ALGÉRIE
Tropique du Cancer
SAHARA
OCCIDENTAL
MAURITANIE
NOUAKCHOTT
Sénégal
ÎLES DU
CAP VERT
DAKAR
SÉNÉGAL
BANJUL GAMBIE
MALI
BISSAU Niger
BAMAKO
GUINÉE-
BISSAU
GUINÉE
CONAKRY
FREETOWN SIERRA
LEONE
CÔTE
D'IVOIRE
Volta Noire
Lac
Volta
GHANA
MONROVIA YAMOUSSOUKRO
LIBERIA ACCRA
TOGO
BÉNIN
LOMÉ
PORTO
NOVO
Bioko
(G. ÉQ.)
GOLFE DE GUINÉE
Équateur
SÃO TOMÉ
E PRÍNCIPE
GUINÉE
ÉQUATORIALE
LIBREVILLE
GABON
BRAZZAVILLE
KINSHASA
Kasaï
Congo
LUANDA
Cuanza
Cuango
ANGOLA
Plateau
du Bie
Cubango
Tropique du Capricorne
NAMIBIE
Désert de Namib
WINDHOEK
GABORONE
Désert
du Kalahari
OCÉAN
ATLANTIQUE
Orange
MBABANE
Vaal
MASERU
LESOTHO
RÉPUBLIQUE
D'AFRIQUE
DU SUD
LE CAP Grand Karoo

PÉLICAN BLANC
D'AFRIQUE

STERNE
ARCTIQUE

STERNE ARCTIQUE

BERNE
SUISSE
VIENNE AUTRICHE BRATISLAVA
HONGRIE
MOLDAVIE
CHISINĂU
KAZAKHSTAN
Pô
ITALIE
SLOVÉNIE LJUBLJANA ZAGREB BUDAPEST
CROATIE
BOSNIE
HERZÉGOVINE
SARAJEVO
BELGRADE
BUCAREST
ROUMANIE
Danube
ROME
Apennins
Mer
ADRIATIQUE
YOUGOSLAVIE
SKOPJE SOFIA
Balkans
Monts du
Pinde
BULGARIE
MER NOIRE
Caucase
MER
CASPIENNE
GÉORGIE
TBILISI
ARMÉNIE AZERBAÏDJAN
ALBANIE MACÉDOINE
TIRANA
GRÈCE
ANKARA
JEREVAN
BAKOU
Koura
ATHÈNES
Lac
Tuz
Anatolie
TURQUIE
Lac
de Van
Lac
d'Ourmia
TÉHÉRAN
MALTE
LA VALETTE
MER ÉGÉE
NICOSIE
CHYPRE
Taurus
Tigre
Mésopotamie
Monts Zagros
IRAN
MER
MÉDITERRANÉE
TUNIS
TUNISIE
TRIPOLI
LIBYE
Désert de Libye
LE CAIRE
ÉGYPTE
BEYROUTH
JÉRUSALEM
ISRAËL
Mer Morte
LIBAN
SYRIE
DAMAS
AMMAN
JORDANIE
Désert
de Syrie
Euphrate
BAGDAD
IRAK
KOWEÏT
KOWEÏT
ARABIE
SAOUDITE
AL-MANÂMA
BAHREIN
DOH
QATAR
ÉMIR.
ARAB.
UNI
RIYAD
Hedjaz
Nil
MER ROUGE
Tibesti
TCHAD
N'DJAMENA
SOUDAN
Désert de Nubie
KHARTOUM
DARFOUR
Asir
Rub' al-Khali
YÉMEN
Hadramaout
SANAA
ÉRYTHRÉE
ASMARA
Nil Blanc
Nil Bleu
DJIBOUTI
DJIBOUTI
Chari
Benue
NIGÉRIA
ABUJA
Adamaoua
CAMEROUN
YAOUNDÉ
RÉPUBLIQUE
CENTRAFRICAINE
BANGUI
Oubangui
Uele
Lac
Tana
ADDIS-ABEBA
Plateau
Éthiopien
Ogaden
ÉTHIOPIE
SOMALIE
MOGADISCIO
RÉPUBLIQUE
DÉMOCRATIQUE
DU CONGO
RWANDA
KIGALI
BUJUMBURA
BURUNDI
OUGANDA
KAMPALA
Lac
Victoria
NAIROBI
KENYA
Tana
TANZANIE
DODOMA
Lualaba
Lac
Tanganyika
Rufiji
SEYCHELLES
Lac Nyassa
Ruvuma
MORONI LES COMORES
MALAWI
LILONGWE
Luria
MOZAMBIQUE
ZAMBIE
LUSAKA
Zambèze
HARARE
ZIMBABWE
Save
Zambèze
MADAGASCAR
ANTANANARIVO
PRETORIA
MAPUTO
SWAZILAND
Océan Indien
Archipel
des Crozet
(FR.)

0   1000 km
Échelle à l'équateur

L'Amérique du Nord

PYGARGUE
À TÊTE BLANCHE
Haliaeetus leucocephalus

Longueur : de 71 à 96 cm

Envergure : de 168 à 244 cm

Poids : de 3 à 6,3 kg

Vol : 30-50 km/h

Caractéristiques : ce rapace est l'emblème des États-Unis. C'est un aigle pêcheur qui attrape ses proies à la surface de l'eau. Il peut être également nécrophage. Il fréquente les grandes étendues d'eau, lacs ou bord de mer. Lors de la parade, mâle et femelle s'accrochent parfois par leurs serres et chutent en virevoltant à travers les airs, se détachant au dernier moment, avant l'impact.

OIE
DES NEIGES
Anser caerulescens

Longueur : de 71 à 76 cm

Envergure : de 132 à 165 cm

Poids : de 3 à 5 kg

Vol : de 55 à 95 km/h

Caractéristiques : c'est une oie très facilement reconnaissable avec son plumage blanc souligné par les pointes noires des ailes. Son bec est rosé. Grégarisme hivernal très fort. Herbivore. Poussins nidifuges. C'est une espèce en très forte expansion, car elle se nourrit en hiver aux dépens des zones agricoles des États-Unis et du sud du Canada et parce qu'elle est protégée. En fin de reproduction, elle mue totalement, ce qui l'empêche de voler durant trois à quatre semaines.

BERNACHE
DU CANADA
Branta canadensis

Longueur : de 55 à 110 cm

Envergure : de 120 à 190 cm

Poids : de 2 à 7 kg

Vol : 70-90 km/h

Caractéristiques : c'est l'oie la plus connue et la plus commune d'Amérique du Nord. Elle fréquente différents types d'habitats, de la toundra aux semi-déserts intérieurs en passant par la forêt ; avec pour seule constante : la proximité d'un point d'eau. Les Québecois l'appellent « outarde » ou « honker » à cause du cri très sonore qu'elle pousse en vol. Elle peut être presque aussi grande qu'un cygne. Herbivore. Poussins nidifuges. Famille très soudée, les parents sont extrêmement agressifs autour du nid. Grégarisme hivernal. En fin de reproduction, elle mue totalement, ce qui ne lui permet pas de voler durant trois à quatre semaines.

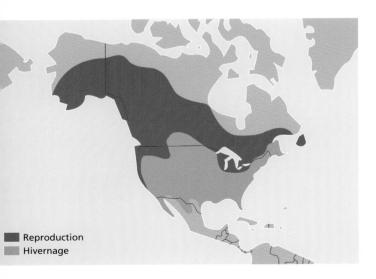

Reproduction
Hivernage

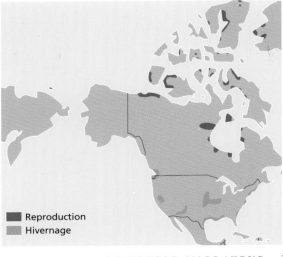

Reproduction
Hivernage

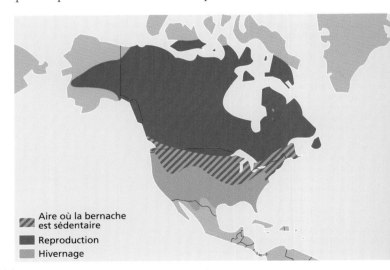

Aire où la bernache est sédentaire
Reproduction
Hivernage

L'Amérique du Sud

CONDOR
DES ANDES
Vultur gryphus

Longueur : de 100 à 130 cm

Envergure : supérieure à 320 cm

Poids : de 8 à 15 kg

Vol : 20-30 km/h

Caractéristiques : c'est l'un des plus grands oiseaux planeurs de la planète, avec les pélicans et les albatros. Il est entièrement noir, mis à part des taches blanches sur les ailes. Il vit dans les régions montagneuses d'Amérique du Sud, mais on peut le trouver à basse altitude au Pérou, au Chili et en Patagonie où il lui arrive de fréquenter le bord de mer. C'est un charognard exclusif ; il ne tue aucun animal. Il niche en colonie dans des anfractuosités de falaises. Il mange en groupe.

ARA
BLEU
Ara ararauna

Longueur : 86 cm

Envergure : 72-78 cm

Poids : de 0,995 à 1,3 kg

Vol : 35-70 km/h

Caractéristiques : cet habitant de la forêt amazonienne se nourrit essentiellement de graines extrêmement dures qu'il cisaille de son bec puissant. L'ara bleu niche dans un trou qu'il creuse dans un tronc de palmier. Son cri s'entend de très loin. Le couple est formé pour la vie. Dans certaines régions, les aras se réunissent sur des falaises pour en manger l'argile et lutter ainsi contre les toxines des graines dont ils se nourrissent.

Aire de répartition

Aire de répartition

GORFOU

SAUTEUR

Eudyptes chrysocome

Longueur : de 55 à 62 cm

Nageoire : 16-18 cm

Poids : de 2,2 à 4 kg

Nage : 7 à 8 km/h

Caractéristiques : comme tous les manchots, il possède une seconde paupière transparente pour protéger l'œil durant la nage sous-marine. Il niche en terrain rocheux ou escarpé où il doit sauter d'un rocher à l'autre pour rejoindre sa colonie. Les colonies sont denses et souvent mélangées avec d'autres espèces. Pour se reconnaître, les partenaires ont des cris particuliers. Le gorfou sauteur est piscivore. Ses poussins se rassemblent en petites crèches. Ses plumes sont spécialement adaptées à la vie en eau froide, permettant une bonne isolation.

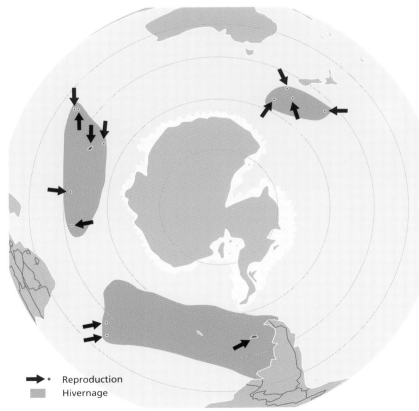

➤• Reproduction

■ Hivernage

CONDOR
DES ANDES

OCÉAN
PACIFIQUE

Équateur

Tropique du Cancer

O
ATLA

MANAGUA
Nicaragua
SAN JOSÉ
CARACAS
PORT OF SPAIN
COSTA RICA
PANAMÁ
PANAMÁ
VENEZUELA
TRINITÉ-ET-TOBAGO

Île Galapagos
(ÉQU.)

Magdalena
BOGOTÁ
Meta
Llanos
Orénoque
GEORGETOWN
PARAMARIBO

COLOMBIE
Guaviare
GUYANA
SURINAM
GUYANE
FRANÇAISE

Équateur
QUITO
ÉQUATEUR
Putumayo
Japurá
Río Negro
Branco
Amazone

Cordillère des Andes
Ucayali
Juruá
Purus
Amazone
Tapajós
Xingu

BRÉSIL

Tocantins

PÉROU
LIMA
ARA BLEU
Araguaia

Serra Geral do Goiás

São Francisco

Lac Titicaca
Altiplano
LA PAZ
BOLIVIE
Mato Grosso
BRASÍLIA

Salar de Uyuni
Désert de Atacama
Salar de Atacama
Paraguai
Paraná

Serra do Espinhaço

Serra do Mar

Chaco
Gran
Río Bermejo
ASUNCIÓN

Cordillère des Andes
Salinas Grandes
PARAGUAY
Uruguai
Paraná
Uruguai

Condor des Andes

SANTIAGO
Pampas
BUENOS AIRES
MONTEVIDEO
URUGUAY

CHILI
ARGENTINE
Río Colorado
Río Negro

Patagonie

Îles Falkland (Malouines)
(G.-B.)

Terre de Feu

0   1000 km
Échelle à l'équateur

ARA
BLEU

GORFOU
SAUTEUR

OCÉAN
ATLANTIQUE

GUINÉE-
BISSAU
GUINÉE
MALI
OUAGADOUGOU
NIGERIA
TCHAD
CONAKRY
SIERRA
LEONE
FREETOWN
MONROVIA
LIBERIA
CÔTE
D'IVOIRE
YAMOUSSOUKRO
GHANA
ACCRA
LOMÉ
PORTO
NOVO
TOGO
BÉNIN
Niger
Benué
ABUJA
Adamaoua
RÉPUBLIQUE
CENTRAFRICAINE
Bioko (G.-É.)
CAMEROUN
YAOUNDÉ
BANGUI
Uele
SÃO TOMÉ
E PRÍNCIPE
GUINÉE
ÉQUATORIALE
LIBREVILLE
CONGO
GABON
Oubangui
Congo
RÉPUBLIQUE
DÉMOCRATIQUE
DU CONGO
Congo
BRAZZAVILLE
Kasaï
KINSHASA
Lualaba
Cuango
LUANDA
Cuanza
Plateau
du Bie
ANGOLA
ZAMBIE
LUSAKA
Zambèze
Lac
Kariba
Cubal
ZIMBAB
Désert de Namib
NAMIBIE
WINDHOEK
BOTSWANA
GABORONE
PRETC
Désert
du Kalahari
Vaal
Orange
MASERL
RÉPUBLIQUE
D'AFRIQUE
DU SUD
LE CAP
Grand Karoo

ÉAN
NTIQUE

GORFOU SAUTEUR

orgie du Sud
(G.-B.)

Îles Sandwich
du Sud
(G.-B.)

L'Asie

BERNACHE
À COU ROUX
Branta ruficollis

Longueur : de 53 à 55 cm

Envergure : de 115 à 135 cm

Poids : de 1 à 1,5 kg

Vol : 80-100 km/h

Caractéristiques : cette petite oie possède un plumage coloré spécifique, panaché de noir, de roux et de blanc. Son vol est très rapide. Elle installe son nid dans la toundra sèche à proximité du nid d'un grand rapace pour bénéficier de sa protection contre les prédateurs. Herbivore. Poussins nidifuges. Grégarisme important durant l'hiver. En fin de reproduction, elle mue totalement, ce qui l'empêche de voler durant trois à quatre semaines.

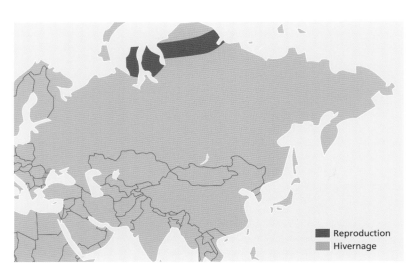

OIE
À TÊTE BARRÉE
Anser indicus

Longueur : de 71 à 76 cm

Envergure : de 140 à 160 cm

Poids : de 2 à 3,2 kg

Vol : 60-80 km/h

Caractéristiques : cette oie de taille moyenne au plumage élégant vit sur les hauts plateaux d'Asie centrale, toujours à proximité d'un point d'eau. Elle forme des colonies denses. Herbivore. Poussins nidifuges. C'est l'une des espèces qui volent le plus haut : pour atteindre ses quartiers d'hiver, elle est obligée de franchir les hauts sommets de l'Himalaya en volant à plus de 8 000 m. En fin de reproduction, elle mue totalement, et ne peut voler durant trois à quatre semaines.

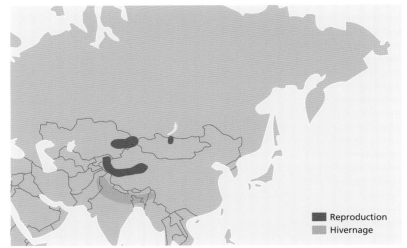

IBIS
À TÊTE NOIRE
Threskiornis melanocephalus

Longueur : de 65 à 76 cm

Envergure : 110-120 cm

Poids : 1,5 kg

Vol : 30-50 km/h

Caractéristiques : il habite les zones humides parsemées d'arbres sur lesquels il installe son nid en colonies plus ou moins denses. Omnivore. Vol migratoire en formation en V ou linéaire. Sa tête est complètement dénudée et c'est sa peau noire qui est visible.

GRUE
DU JAPON
Grus japonensis

Longueur : 150 cm

Envergure : de 220 à 250 cm

Poids : de 7 à 12 kg

Vol : 50-80 km/h

Caractéristiques : c'est une espèce qui risque de disparaître du fait de la destruction des sites d'hivernage. Omnivore. Au sol, la grue du Japon replie ses ailes de manière à ce que ses rémiges noires forment une sorte de plumeau au-dessus du croupion blanc. La parade est une danse entrecoupée de nombreux sauts et accompagnée de cris.

CYGNE
CHANTEUR
Cygnus cygnus

Longueur : de 140 à 165 cm

Envergure : de 215 à 245 cm

Poids : de 8 à 13 kg

Vol : 60-80 km/h

Caractéristiques : c'est l'un des plus gros oiseaux volants d'Europe, il possède plus de 25 000 plumes. Le mâle défend son nid de manière très agressive contre tout intrus. Herbivore. Poussins nidifuges. Grégarisme hivernal. Son chant très spécial est à l'origine de la légende du « chant du cygne ». Il doit courir sur l'eau avant de s'envoler.

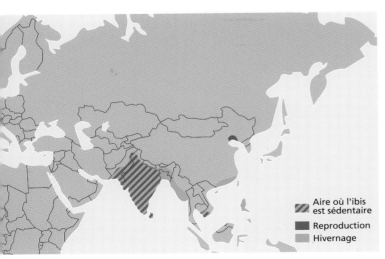

Aire où l'ibis est sédentaire
Reproduction
Hivernage

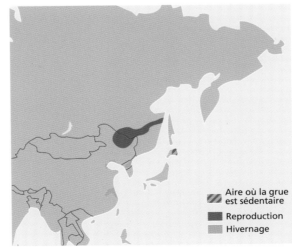

Aire où la grue est sédentaire
Reproduction
Hivernage

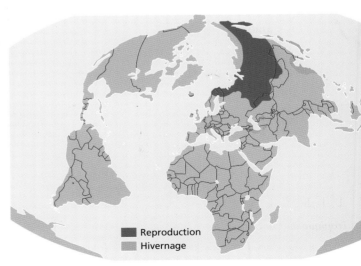

Reproduction
Hivernage

MER DE BARENTS

MER DE KARA

NORVÈGE

Chaîne scandinave

Presqu'île de Kola

Cercle polaire arctique

SUÈDE

FINLANDE

Petchora

Presqu'île de Iamal

Presqu'île de Ta

BERNACHE À COU ROUX

Iénissei

P I
C

Plaine de

Sibérie

Toungouska Inférieure

R U

STOCKHOLM

HELSINKI

Lac Onega

Lac Ladoga

Monts Oural

Ob

Occidentale

Toungouska Pierreuse

TALLINN

ESTONIE

BERNACHE À COU ROUX

RIGA

LETTONIE

Itrych

MOSCOU

Iénissei

Tobol

LITUANIE

VILNIUS

MINSK

POLOGNE

BIÉLORUSSIE

VARSOVIE

Vistule

Prypiat

Volga

RUSSIE

Isim

OIE À TÊTE BARRÉE

ASTANA

Hubsugul Nur

Oder

KIEV

Don

UKRAINE

Carpates

MOLDAVIE
CHIȘINĂU

K A Z A K H S T A N

Zaïsan

Altaï Mongol

M C
Dése

SLOVAQUIE
BRATISLAVA

BUDAPEST

HONGRIE

ZAGREB

ROUMANIE

BELGRADE

BUCAREST

Danube

MER NOIRE

Caucase

Dépression caspienne

Plateau d'Oustiourt

OUZBÉKISTAN

Lac Balkhach

Hara-us-Nur

Tian • Shan

Lop Nur

Qinling Shan

Lac Qingh

BOSNIE
HERZÉGOVINE
SARAJEVO

YOUGOSLAVIE

KOSOVO

SOFIA

BULGARIE

GÉORGIE

TBILISI

MER CASPIENNE

TACHKENT

KIRGHIZISTAN

Kaxgar He

TIRANA

MACÉDOINE
SKOPJE

ARMÉNIE
JEREVAN

BAKOU

AZERBAÏDJAN

TURKMÉNISTAN

TADJIKISTAN

DOUCHANBE

Altun Shan

C H I

ALBANIE

ANKARA

Lac de Van

AŠGABAT

Monts Kunlun

Plateau
du Tibet

ATHÈNES

GRÈCE

T U R Q U I E

Tigre

TÉHÉRAN

Himalaya

TIBET

MER MÉDITERRANÉE

Euphrate

NICOSIE

CHYPRE
BEYROUTH

SYRIE

LIBAN
ISRAËL

DAMAS

IRAK

Plateau d'Iran

KABOUL

Indus

DELHI

NÉPAL

BHOUTAN
THIMPHU

Brahmapoutre

JÉRUSALEM

AMMAN

BAGDAD

I R A N

AFGHANISTAN

ISLAMABAD

KATHMANDOU

Nu Jiang

LE CAIRE

JORDANIE

KOWEÏT

Sutlej

PAKISTAN

I N D E

Gange

BANGLADESH

Brahmapoutre

LIBYE

Désert de Libye

DÉSERT D'ÉGYPTE

Nil

MER ROUGE

KOWEÏT

BAHREIN

RIYAD

QATAR
DOHA

ÉMIRATS
ARABES
UNIS

MASCATE

Indus

Narmada

Mahanadi

DACCA

BIRMANIE

Tropique du Cancer

Tibesti

Désert de Nubie

Arabie

ABOU
DHABI

Mer d'Oman

ARABIE
SAOUDITE

Rub' al-Khali

OMAN

MER D'OMAN

Godavari

Krishna

RANGOON

VIENTIANE

THAÏLA

Mekong

TCHAD

KHARTOUM

SOUDAN

ÉRYTHRÉE
ASMARA

SANAA

YÉMEN

Nil Blanc

Nil Bleu

GOLFE DU
BENGALE

0   1000 km

Échelle à l'équateur

MER DE
SIBÉRIE
ORIENTALE

MER DE
LAPTEV

CYGNE
CHANTEUR

CYGNE CHANTEUR

Monts de la Kolyma

MER DE
BÉRING

Monts de Verkhoïansk

Lena

Olenёk

Iana

Indighirka

Koluma

Anadyr

Lena

ne de
érie
ntrale

yr

ac de
aïmyr

SIE

GRUE
DU JAPON

Monts Iablonovyï

Vitim

Lac
Baikal

Lena

nga

Kamtchatka

MER
D'OKHOTSK

Amour

OULAN-BATOR

Hulun Nur

Kerulen

Manchourie

Lac
Khanka

OCÉAN

GOLIE

de Gobi

PÉKIN

Huang He

Hu ang He

CORÉE
DU NORD

PYONGYANG

SÉOUL

CORÉE
DU SUD

MER DU
JAPON

JAPON

TŌKYŌ

PACIFIQUE

N   E

MER
JAUNE

MER DE CHINE
ORIENTALE

Chang Jiang

Lac
Dongting

Lac
Poyang

IBIS À TÊTE NOIRE

TAIPEI

TAIWAN

IBIS
À TÊTE NOIRE

HANOI

VIETNAM

MER DE CHINE
MÉRIDIONALE

MANILLE

PHILIPPINES

BODGE

Tout autour de l'Antarctique

MANCHOT
ROYAL
Aptenodytes patagonicus

Longueur : 95 cm

Nageoire : 30-35 cm

Poids : de 9 à 15 kg

Nage : 12 km/h

Caractéristiques : avec l'empereur, c'est l'un des deux plus grands manchots. Comme tous les manchots, il ne vole pas, mais il est parfaitement adapté à la nage sous-marine. Il ne pond qu'un œuf qu'il couve sur ses pattes pour le tenir à l'abri du froid. Piscivore. Il vit en colonie très dense pouvant compter jusqu'à un million d'individus. Les poussins se rassemblent en vastes crèches où ils attendent leurs parents partis à la pêche.

ALBATROS
HURLEUR
Diomedea exulans

Longueur : de 110 à 135 cm

Envergure : de 250 à 350 cm

Poids : de 6 à 11 kg

Vol : 40-80 km/h

Caractéristiques : c'est l'un des plus grands oiseaux marins du monde. Il offre l'exemple typique du vol à voile, car il plane en utilisant les variations des courants aériens au-dessus des vagues. C'est un nécrophage qui se nourrit de cadavres flottants de poissons et de céphalopodes. Le couple est formé pour la vie. Lors de la parade nuptiale, les deux partenaires écartent les ailes et claquent du bec en criant. Entre la ponte de l'œuf et l'envol du poussin, il s'écoule presque un an.

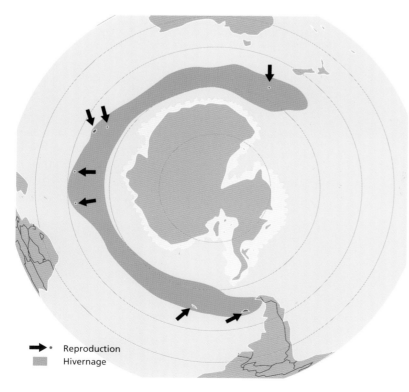

→• Reproduction
▪ Hivernage

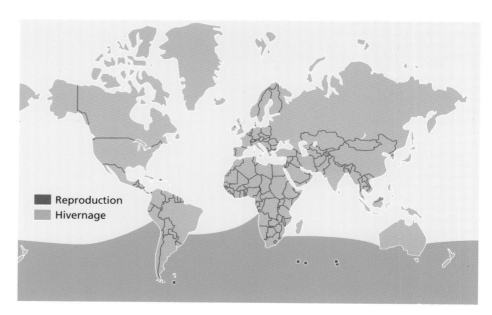

■ Reproduction
■ Hivernage

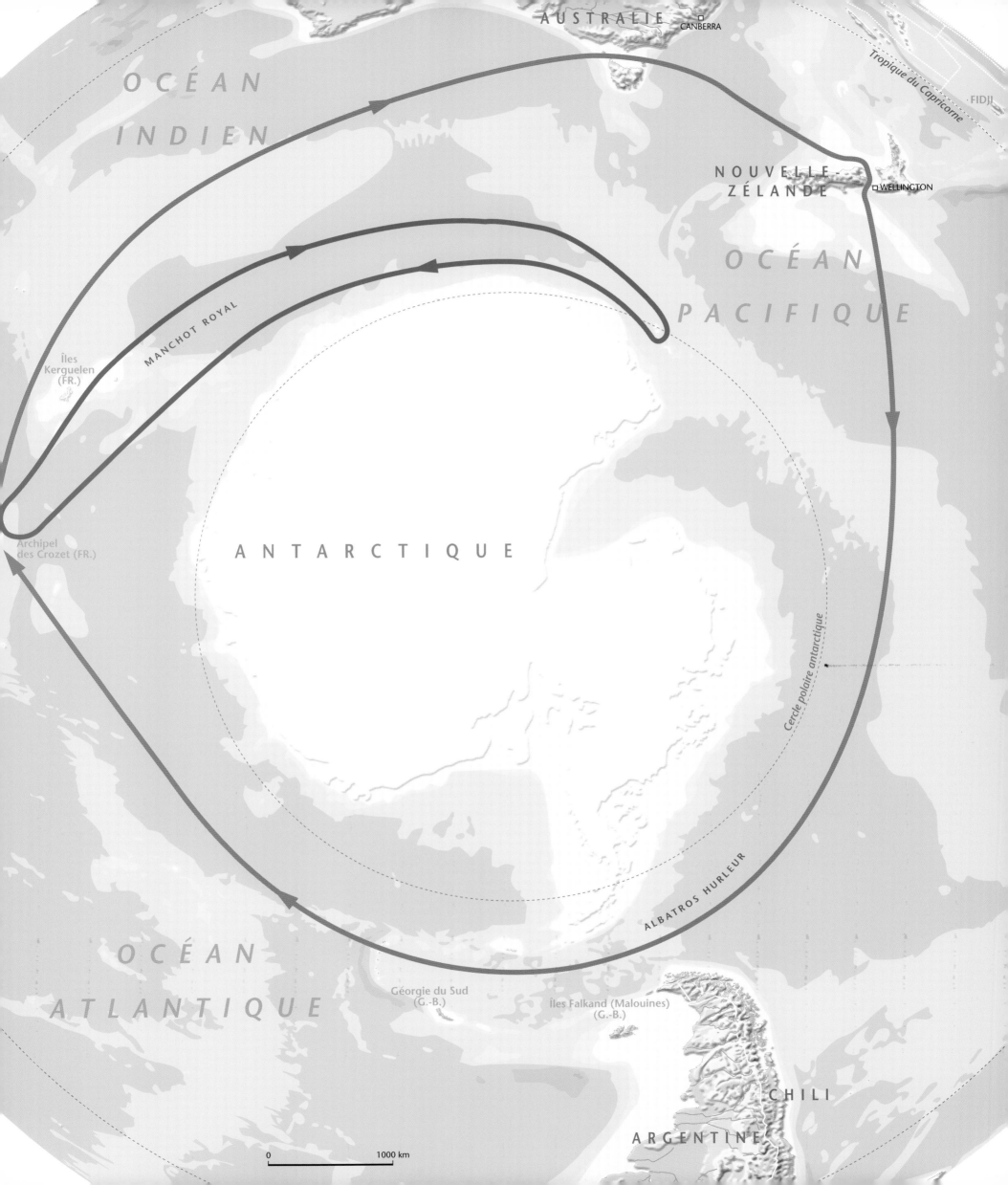

AUSTRALIE □ CANBERRA

Tropique du Capricorne

FIDJI

OCÉAN

INDIEN

OCÉAN

NOUVELLE-
ZÉLANDE □ WELLINGTON

OCÉAN

PACIFIQUE

MANCHOT ROYAL

Îles
Kerguelen
(FR.)

ANTARCTIQUE

Cercle polaire antarctique

Archipel
des Crozet (FR.)

OCÉAN

ATLANTIQUE

ALBATROS HURLEUR

Géorgie du Sud
(G.-B.)

Îles Falkand (Malouines)
(G.-B.)

CHILI

ARGENTINE

0   1000 km

LES RÉALISATEURS

Michel Debats

Jacques Perrin

Jacques Cluzaud

L'AVENTURE D'UN FILM

Q ui n'a pas rêvé de rejoindre, là-haut, le grand
« V » ondulant des oies sauvages survolant
nos cités de béton ?
Qui n'a pas souhaité planer sous les étoiles,
étendant ses ailes de soie sur le vaste monde,
pour découvrir d'un œil nouveau,
d'un œil d'oiseau, toutes les merveilles
que nous prodigue la Terre ?

Arizona

Arizona

New York

Adirondacks

▲ Paris ▼

▼ Jura

▲ Tournage à Monument Valley, Arizona, États-Unis.

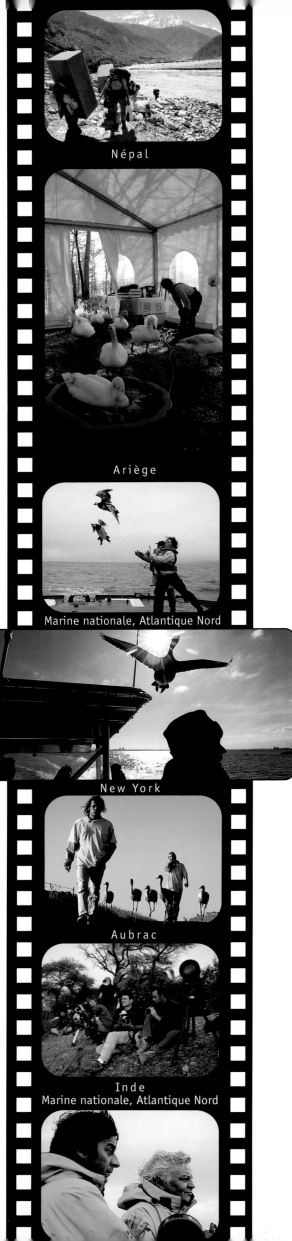

Népal

Ariège

Marine nationale, Atlantique Nord

New York

Aubrac

Inde
Marine nationale, Atlantique Nord

Qui n'a pas désiré,
un soir d'été, strier l'azur à
grands coups d'ailes,
virevoltant et criaillant parmi
un vol de martinets enivrés
de liberté ?

Qui n'a pas rêvé, en un mot, voler au milieu des oiseaux, évoluant sans entrave entre ciel et terre, pesanteur enfin abolie ?

Voler avec les oiseaux! Survoler la planète de l'Asie à l'Australie, du Canada à l'Argentine, de l'Europe à l'Afrique, de l'Arctique à l'Antarctique, toutes les frontières humaines enfin abolies! Faire partie physiquement, et même «mentalement», du *Peuple migrateur*! Bref, être oiseau une heure, une heure seulement!

Ce rêve hante la conscience des hommes depuis la nuit des temps. Un rêve que même la conquête des airs par des machines – une conquête fort récente, il est vrai, puisqu'elle ne date que d'un peu plus d'un siècle – n'a pu entièrement faire disparaître de notre imaginaire.

L'histoire du *Peuple migrateur* est celle de ce rêve.

Tout a commencé en 1997. Jacques Perrin, déjà producteur du *Peuple singe* (1988) et de *Microcosmos, le peuple de l'herbe* (1996), décide, pour achever cette trilogie, de se lancer dans une nouvelle aventure cinématographique consacrée cette fois aux oiseaux.

«J'ai voulu que ce film soit une grande fable naturelle, explique-t-il. Une fable s'appuyant sur la seule force des images. On ne se doute pas, quand on voit dans son jardin un petit oiseau qui pèse 12 g, qu'il a 10 000 km dans les ailes, qu'il a voyagé au milieu des tempêtes et de mille menaces. Grâce aux oiseaux, j'ai voulu faire découvrir aux hommes leur propre planète.»

Cette idée folle vient de loin: lorsqu'il était enfant, Jacques Perrin n'était-il pas fasciné par les vols de grues survolant sa pension?

L'élève rêveur de Joinville-le-Pont a grandi, mais il n'a jamais oublié les oiseaux migrateurs. Ce sont ces êtres suprêmement libres qu'il a voulu approcher et filmer comme jamais. Résultat: trois années de tournages ininterrompus, près de cent cinquante personnes mobilisées, une quarantaine de pays visités, plus de 500 km de pellicule impressionnés, des dizaines d'ornithologues mis à contribution, un budget vertigineux englouti par la société de production de Jacques Perrin, Galatée Films. La grande saga des oiseaux pourrait figurer au *Livre des records*.

«Trois réalisateurs, Michel Debats, Jacques Cluzaud et moi-même, et huit coréalisateurs, en fait des cameramen, se partagent la paternité de ce film. Nous avions tous au fond du cœur le même désir: adresser un hommage aux oiseaux. Ce qui nous intéressait avant tout, c'était de nous approcher de leur mystère», confie Jacques Perrin.

Pour s'approcher de ce mystère par les chemins les plus sûrs, le producteur, devenu pour l'occasion réalisateur, a commencé par faire appel aux meilleurs ornithologues du monde.

▲ Séance d'entraînement des oies en Normandie, France.   ▼ Préparatifs d'un tournage à l'île de Skrudur, Islande.

Le Pr Jean Dorst, spécialiste des oiseaux d'Amérique du Sud et ancien directeur du Muséum national d'histoire naturelle de Paris, le Pr Francis Roux, spécialiste des oiseaux d'Afrique occidentale, ancien sous-directeur au Laboratoire des mammifères et des oiseaux du MNHN, Guy Jarry, spécialiste des oiseaux des régions situées entre l'Europe et l'Afrique occidentale, directeur adjoint du Centre de recherche sur la biologie des populations d'oiseaux du MNHN, ont tout de suite apporté leur caution à ce projet.

À l'étranger, de nombreux spécialistes ont également répondu présent, tels Kenneth P. Able, de l'université d'État de New York, spécialiste de l'orientation des oiseaux durant leurs migrations ; Peter Berthold, du Max-Planck Institute Vogelwarte, en Allemagne, spécialiste de la migration des fauvettes et des cigognes, ou encore les Drs Hiroyoshi Higuchi, de l'université de Tokyo, spécialiste des grues d'Asie, et Yossi Leshem, du Département de zoologie de Tel Aviv, spécialiste des pélicans, des rapaces et des cigognes. Ces sommités se sont regroupées au sein d'un Comité scientifique. Cet aréopage, véritable conseil des sages, a reçu le soutien d'organismes internationaux aussi prestigieux que le Birdlife International, la Ligue française pour la protection des oiseaux, la Audubon Society américaine, le Muséum de Paris, ou la Royal Society for the Protection of Birds (un million d'adhérents en Grande-Bretagne). Dans le

même temps, l'équipe naissante du *Peuple migrateur* était rejointe à plein temps par deux jeunes ornithologues français, Stéphane Durand et Guillaume Poyet. Tous ces experts ont collaboré durant un an à l'élaboration du guide scénaristique original conçu par Jacques Perrin et Stéphane Durand.

Ces spécialistes, pour la plupart chercheurs de terrain, ont indiqué aux cinéastes les plus intéressants sites au monde de nidification ou d'hivernage, situés souvent dans des lieux très difficiles d'accès, et rarement visités, tel l'îlot Crozet, dans l'Atlantique Sud, desservi deux fois par an par un bâtiment de la Marine nationale, ou l'île de Skrudur, au large de l'Islande, une propriété privée abritant d'immenses colonies de macareux, de guillemots ou de fous de Bassan. Certains de ces éminents ornithologues n'ont pas hésité à participer eux-mêmes à de lointains repérages et tournages, tel Francis Roux, qui a abandonné ses travaux durant quelques semaines pour superviser d'importantes prises de vues aux États-Unis et sur le banc d'Arguin en Mauritanie.

Tous ces savants ont ainsi veillé, jour après jour, mois après mois, à la rigueur scientifique d'une réalisation ambitieuse qui devait coller à la réalité tout en la sublimant. Un projet si exaltant par les expériences inédites offertes qu'il a progressivement rassemblé près de quatre-vingts chercheurs du monde entier, du Japon à la Russie, de la Suède aux États-Unis, de l'Allemagne au Brésil, de l'Inde à l'Argentine,

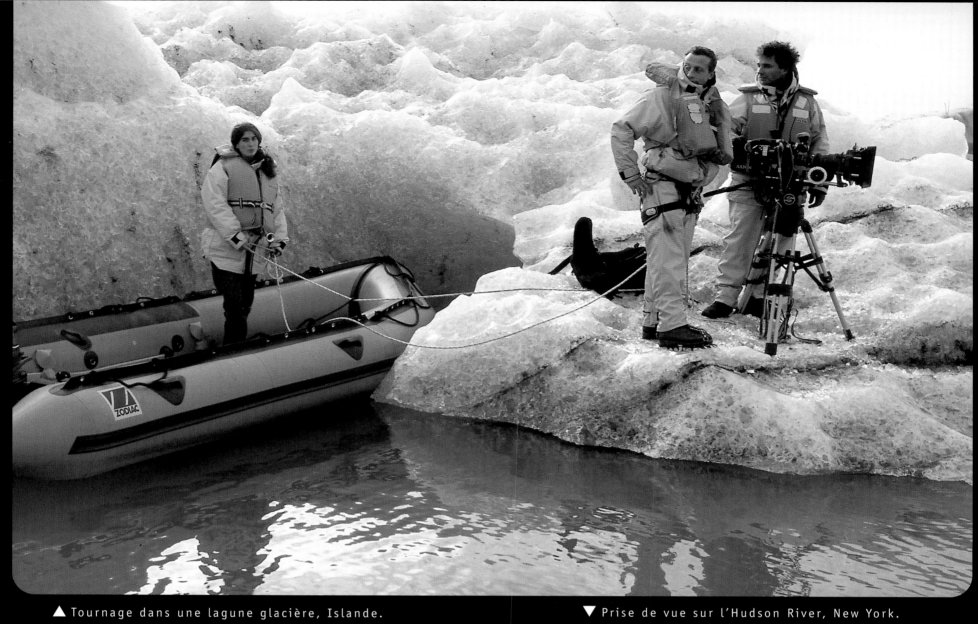

▲ Tournage dans une lagune glacière, Islande.　▼ Prise de vue sur l'Hudson River, New York.

TRAVELLING SUR HUDSON RIVER
300 M D'ALTITUDE

FIN DU VOL AUTOUR DE LA
STATUE DE LA LIBERTÉ.
LES OIES SORTENT DU CADRE

tissant ainsi l'un des plus importants réseaux ornithologiques « privés » de la planète.

« Nous avons réalisé un film qui a suivi au plus près la réalité des oiseaux, affirme Laurent Fleutot, directeur de la photo. Il ne s'agissait pas de "voler" des images, comme le font d'ordinaire les opérateurs animaliers, mais de "voler" en compagnie des oiseaux. »

Images « volées » ou images en vol? La magie du *Peuple migrateur* est de mêler harmonieusement deux écoles: celle de cinéastes animaliers et celle de cinéastes plus traditionnels.

Pour permettre des tournages rapprochés ou effectuer certains raccords destinés au montage, il a fallu en effet dresser des oiseaux élevés par l'homme et accoutumés à sa présence. Les techniques ne sont pas nouvelles. Elles ont été mises au point dans les années 30 par Konrad Lorenz, un naturaliste autrichien tombé amoureux des oies sauvages et considéré aujourd'hui comme le père de l'éthologie (science du comportement des animaux). Ce savant, connu du grand public par sa barbe blanche et les images de ses oisons perchés sur sa tête, avait imaginé de prendre en charge, depuis l'œuf, de jeunes oies afin de jouer auprès d'elles le rôle d'un véritable père adoptif. Le premier, Konrad Lorenz a compris que, depuis le début de l'incubation, il était nécessaire de caresser les œufs et de parler à voix basse aux oisillons, au travers de leur coquille, afin d'habituer ceux-ci à la voix et à la présence humaines.

Ces expériences un peu étranges ont valu à l'époque au futur prix Nobel une réputation de doux dingue. Mais qu'importe, Konrad Lorenz a persisté. Et il a découvert une autre condition *sine qua non* à la réussite de ses expériences: être présent à l'instant précis où l'oisillon perce sa coquille. En effet, le premier être que découvrira celui-ci – oiseau, humain ou autre – sera perçu par lui comme son père ou sa mère de substitution. Bien entendu, il faut ensuite prodiguer aux oisillons, durant toute leur jeunesse, des soins quasi maternels, dormir avec eux, les nourrir de sa propre main ou de sa bouche, voire se baigner en leur compagnie. Grâce à cette méthode, les petites oies de Konrad Lorenz ont répondu à la voix et aux gestes de leur père adoptif, le suivant fidèlement partout, sur terre comme sur l'eau... Une parfaite réussite n'ayant rien à voir avec l'apprivoisement, la domestication ou le dressage d'oiseaux déjà connus.

Depuis cette époque héroïque, ces techniques ont évolué et se sont peu à peu étendues à de nouvelles espèces d'oiseaux, presque toujours de la famille des oies. Ces derniers oiseaux s'accoutument vite à l'homme, car nidifuges (c'est-à-dire dont les petits quittent le nid tout de suite après l'éclosion et sont éduqués par leurs parents à l'extérieur de celui-ci, contrairement aux nidicoles, qui, eux, restent dans le nid où ils y sont élevés durant un certain temps).

Ces pratiques ont beaucoup été utilisées à travers le monde par des chercheurs, des éleveurs, des responsables de parcs zoologiques,

▲ Bateau-travelling et ▼ ULM à New York.

Normandie

Normandie

Normandie

Sénégal

Normandie

Normandie
Vietnam

quand ce n'est par des amateurs passionnés. Elles ont été perfectionnées et, bien sûr, poussées un beau jour jusqu'à leur aboutissement le plus extrême, quoique le plus naturel. Car si les oiseaux suivent aveuglément leurs parents adoptifs sur terre ou sur l'eau, il leur restait encore à le faire... dans l'air!

C'est dans les années 80 qu'un Canadien, Bill Lischman, pionnier de l'aviation ultralégère, a le premier réussi à voler avec des oies sauvages attirées spontanément par son ULM. Il a alors imaginé d'élever d'autres oies afin de les entraîner avec lui dans les airs. Un vœu exaucé en 1988. Un des rêves de l'humanité venait de se concrétiser dans les cieux du Nouveau Monde. C'est le petit film vidéo d'amateur consacré à cette « envolée sauvage » qui a donné à Jacques Perrin, émerveillé par ces images encore jamais vues, l'idée d'utiliser à son tour des ULM pour voler avec les oiseaux migrateurs, mais des ULM spécialement conçus pour les filmer dans des conditions de qualité optimales. Ce document lui a également donné l'idée de voler avec de nouvelles espèces d'oiseaux sauvages, grues, pélicans, cigognes, traquets motteux ou aras, afin d'utiliser ces oiseaux comme « acteurs » dans le film auquel il songeait.
Jacques Perrin a donc pris contact avec des ingénieurs de l'aéronautique, en tête desquels son homonyme Jacques Perrin, de la société Thompson, et des techniciens du monde du cinéma, afin d'étudier avec eux la faisabilité de

ce projet sans précédent. À la tête d'une petite équipe à laquelle il a transmis sa passion, le producteur du *Peuple singe* et de *Microcosmos* a décidé de créer la première « nurserie-école-base aérienne-studio de cinéma pour oiseaux ». S'appuyant sur les conseils des scientifiques français et étrangers déjà nommés, mais aussi sur ceux de protecteurs de l'environnement, de vétérinaires ou de directeurs de parcs et de réserves ornithologiques, Jacques Perrin a fait édifier de toutes pièces la première école aviaire du monde.
Ce centre d'entraînement d'oiseaux a vu le jour en 1998 à Bois-Roger, paisible commune située en plein bocage normand. Cet endroit bucolique a été choisi car il offrait, grâce à son climat doux et tempéré, un milieu favorable à l'élevage d'espèces variées d'oiseaux venus des quatre continents. Cette région de bocages se trouve d'ailleurs située sous un couloir de migration d'oiseaux sauvages, heureux présage. Mais Bois-Roger a été élu surtout parce que ce lieu offrait les meilleures conditions pour l'implantation et l'aménagement de bassins et de mares, la construction de volières et de pistes d'aviation.
Au total, une trentaine d'espèces d'oiseaux, oies, canards, cygnes, grues, pélicans, cigognes et même traquets motteux ou hirondelles, ont été retenues par les scientifiques menant le projet.
Pendant ce temps, un vétérinaire attaché au Muséum national d'histoire naturelle, le Dr Plouzeau, mettait en place une politique de

▲ Scène de complicité avec une jeune oie cendrée.　　▼ Détente auprès d'oisillons (bernaches à cou roux).

gestion sanitaire de Bois-Roger. Ce spécialiste des oiseaux sauvages captifs a parallèlement assuré la formation du personnel du centre en matière d'hygiène et d'élevage d'oiseaux, et il a participé étroitement à la constitution des dossiers d'importation des œufs et des oisillons nécessaires pour lancer le programme.

Fleuron de Bois-Roger: la salle d'incubation (couvaison artificielle). Doté d'incubateurs et d'éclosoirs ultramodernes, ce bâtiment de science-fiction a été pourvu d'équipements informatiques spécialement conçus pour suivre et contrôler les naissances des oisillons. Une grande première dans le monde.

«Pour élever des oiseaux, il fallait des œufs, rappelle Marc Crémades, responsable de ce premier centre et de sa logistique. Ces œufs, nous nous les sommes procurés soit en France, par l'intermédiaire des parcs zoologiques, comme celui de Villars-les-Dombes, soit aux quatre coins du monde. Bien entendu, toutes nos collectes d'œufs, et leur importation en France, se sont déroulées dans le plus strict respect des réglementations douanières, sanitaires, vétérinaires ou écologiques. De plus, nous nous sommes imposé à nous-mêmes des règles éthiques afin de ne pas perturber les oiseaux, leur environnement et, bien entendu, leur reproduction. J'ai dû me rendre personnellement dans de nombreux pays, par exemple en Islande pour des œufs de cygnes chanteurs ou au Sénégal pour des œufs de pélicans blancs.»

Ces œufs sont parvenus à Bois-Roger au terme de véritables épopées administratives et humaines, compte tenu de leur valeur et de leur fragilité.

Des «incubateurs de vol» spécialement conçus ont été utilisés pour transporter ces œufs en les conservant à la bonne température en avion, par bateau ou par la route; des œufs disposant avant même d'éclore de volumineux dossiers douaniers et vétérinaires, remplis de certificats et constellés de tampons!

«Nous avons inventé à Bois-Roger l'Incubation assistée par ordinateur, ou IAO, dont le logiciel a été déposé à l'INPI (Institut national de la propriété industrielle). Tout a été minutieusement enregistré, de la température des œufs à leur hygrométrie, en passant par leur contenu observé régulièrement par mirage, espèce par espèce. Toutes ces données étant destinées à apporter de précieuses indications aux chercheurs intéressés», indique Romain Bianchin, chargé des cygnes sauvages.

Qualités premières pour s'occuper de ces oiseaux: l'amour des animaux, la patience, le calme, l'esprit d'équipe, et de l'enthousiasme à revendre. Condition subsidiaire: se contenter parfois de quelques heures de sommeil. Formation requise: aucun diplôme exigé, mais des études en rapport avec les métiers de la nature ou la biologie étant vivement souhaitées. Plusieurs centaines de candidatures, suscitées par le bouche à oreille, par des associations de défense des oiseaux, mais surtout recueillies par

▲ Nage au milieu de jeunes cygnes chanteurs.

▼ Entraînement de grues cendrées
dans le bocage normand, France.

▲ Démonstration de joie d'un cygne chanteur.

le biais de l'ANPE de Caen – où d'insolites annonces ont longtemps été affichées – sont ainsi parvenues à Paris, au siège de Galatée.

Dès 1998, les premières nounous pour oiseaux se sont installées près de leurs incubateurs, attendant fébrilement bernaches nonnettes ou à cou roux, oies à tête barrée ou cendrée.

«Personne n'avait aucune expérience de ces techniques, se souvient Romain. On a agi de façon très empirique en suivant les consignes des gens plus qualifiés. On s'inspirait aussi, bien entendu, des expériences déjà réalisées ou tentées, comme celles de l'INRA (Institut national de la recherche agronomique). Deux jours avant l'éclosion, on regardait avec émotion les oisillons qui cherchaient à casser leur coquille. Chacun avait déjà réfléchi à sa technique. Moi, par exemple, pour les habituer à ma voix alors qu'ils étaient encore dans l'œuf, je lisais L'Alchimiste de Paolo Coelho à mes petits cygnes. Apparemment, cela a marché.»

Cette surprenante activité d'«éleveur» d'oiseaux, créée spécifiquement pour les besoins du Peuple migrateur, a été exercée durant trois années avec dévouement, passion et amour, par une quarantaine de jeunes biologistes et de «parents adoptifs» se répartissant en deux catégories:

– ceux ayant la responsabilité, en équipe, de l'élevage et de l'entraînement d'oiseaux vivant en groupe, comme les bernaches nonnettes ou les grues, c'est-à-dire la majorité des pensionnaires de Bois-Roger;

– ceux s'occupant individuellement d'un seul oiseau, tel le canard colvert.

Mais Bois-Roger s'étant vite révélé insuffisant, il a fallu ouvrir deux autres centres à l'étranger, l'un dans les Adirondacks, près de New York, à l'intention de bernaches du Canada, l'autre à côté de Phœnix, dans l'Arizona, pour les oies des neiges.

Céline Le Barz se souvient : «Votre cœur de mère fondait littéralement quand huit bébés oies s'agglutinaient autour de vous en criaillant et en se dandinant. »

«Je suis restée plusieurs nuits avec les poussins, raconte de son côté Aude Mesnil, chargée des oies des neiges. Je n'ai pas pu dormir, car ils se mettaient tous au niveau de ma tête, dans mon cou. Ils étaient quarante-cinq et bougeaient tout le temps pour être à la meilleure place près de moi. »

Quant à Yannick Clerquin, biologiste baroudeur davantage habitué aux crapahutages ornithologiques sur l'île Crozet, il est vite tombé amoureux de «ses» pélicans : «Je suis arrivé à Bois-Roger en décembre 1999. Le jour même, Aymé sortait de son œuf. Dans la nature, c'est impossible de voir éclore des pélicans. J'étais bouleversé ! Le plus important, avec les pélicans, c'est le *feeling*. Ils reconnaissent leurs noms, et même certains mots, comme "manger". »

Peggy Alexandre, elle non plus, n'oubliera jamais : «Dès que je suis arrivée à Bois-Roger, j'ai enfilé une blouse blanche. Je ne connaissais pas grand-chose aux oiseaux. J'ai eu une drôle

d'impression quand j'ai touché mon premier pélican : il était petit comme une tasse à café. Je l'ai nourri à la bouillie de poissons avec une seringue. »

Au fil des tournages, Yannick est parti plusieurs mois à l'étranger en compagnie de Peggy et de Sarka, une jeune biologiste hollandaise. Tous trois ont séjourné plusieurs mois au fin fond du Sénégal, dans la réserve ornithologique du Djoudj, puis au Kenya. «On était tellement attachés à nos oiseaux, se souvient Yannick, qu'on supportait les pires galères : chaleur, moustiques, maladies, mauvaise alimentation, isolement, etc. Dans les moments les plus durs, on se disait : "Pour eux, on doit tenir." Ils étaient devenus comme nos enfants. Les pélicans sont de véritables gosses, têtus, affectueux, gourmands. Ils peuvent aussi se montrer rusés, paresseux, orgueilleux. »

Ces oiseaux sont ainsi devenus de véritables enfants pour leurs parents adoptifs, tout en conservant leurs caractéristiques naturelles, et surtout leur indépendance, volant de leur plein gré comme s'il s'agissait d'un jeu ! Dès l'œuf, il a seulement fallu les habituer aux bruits de moteur des ULM, des voitures ou des bateaux, ainsi qu'aux sons des trompes à poire et autres instruments d'appel. Ces bruits, enregistrés sur magnétophone, ont été diffusés régulièrement près des œufs dans la salle d'incubation.

«Les oiseaux devaient programmer ces sons et s'y accoutumer avant de naître, raconte Luc Coutelle, l'un des régisseurs du *Peuple migrateur*.

Les poussins ne savent rien faire quand ils naissent. Dans la nature, ce sont leurs parents qui leur apprennent tout. Il a fallu les faire marcher à la queue leu leu à la suite des ornithologues, toujours vêtus de cirés jaunes afin que les oiseaux puissent les identifier et ne pas suivre n'importe qui. Après quelques jours, on les faisait courir dans les champs autour de Bois-Roger. Les jeunes oiseaux ont ensuite été entraînés à marcher et à voler derrière un 4x4 roulant au ralenti. Dans le même temps, ils nageaient dans le lac voisin et ils s'entraînaient à suivre le bateau en volant. Enfin, ils volaient derrière les ULM. Il fallait voir les ornithologues criant à tue-tête : "Allez, allez, vas-y mémère, vas-y." Certains avaient la larme à l'œil quand les oiseaux s'envolaient pour la première fois. »

Ces séances d'entraînement intensif, à Bois-Roger – ou dans les autres centres créés aux États-Unis – ainsi que sur les différents sites de tournage, en France ou à l'étranger, ont progressivement produit des oiseaux habitués à la présence des équipes de tournage et à celle de leurs machines vrombissantes. Des « acteurs » parfois un peu cabotins.

« Quand les oies atterrissaient près de nous après une séquence réussie, raconte Aurélie Holley, chargée des bernaches nonnettes, c'était chaque fois pareil : elles paradaient, bombaient le torse, poussaient des cris de contentement. De vraies stars ! »

Bons comédiens, ces oiseaux se sont parfois aussi révélés indisciplinés, si l'on en croit certaines fugues mémorables en cours d'entraînement ou de tournage. Ces disparitions angoissantes donnèrent lieu quelquefois à la diffusion de surprenants avis de recherche dans la presse, la radio, les gendarmeries ou les casernes de pompiers : « Si vous apercevez des oiseaux de telle espèce (description), téléphonez vite, s'il vous plaît, à tel numéro. » Ces annonces insolites ont chaque fois suscité une forte mobilisation des populations du secteur concerné, en France comme à l'étranger, et spécialement celle des enfants des écoles, sensibilisés à la situation par leurs enseignants qui profitaient de l'occasion pour leur inculquer l'amour et le respect de la nature, organisant parfois de véritables jeux de piste pour retrouver les fugueuses à plumes. Presque toujours, ces annonces ont abouti à la récupération des disparues, retrouvées tête basse, au bout de quelques heures d'« école buissonnière », dans une cour de ferme ou sur le toit d'une église. Parfois, hélas, des oiseaux ont disparu à jamais...

Surprenants par leurs facultés d'adaptation, les oiseaux ont également sidéré tous les observateurs par leurs extraordinaires capacités à exploiter les situations à leur avantage.

« Durant les tournages, on ne savait plus si c'était nous qui amenions les oiseaux ou eux qui nous amenaient, raconte Jean-Michel Rivaud, chef pilote à Bois-Roger. Les plus malins comprenaient vite qu'ils avaient intérêt à se mettre en bout d'aile de l'ULM, car ils profitaient à cet

▲ Tournage en Asie du Sud-Est.

▼ Entraînement d'un cygne chanteur dans les Pyrénées.

Libye

Libye

Libye

Libye
Marine nationale, Atlantique Nord

endroit de l'écoulement aérodynamique, et se fatiguaient donc beaucoup moins que les autres. À chaque décollage, c'étaient les mêmes qui occupaient ces places privilégiées, jusqu'à ce que d'autres oiseaux, profitant d'un moment favorable, ne les en délogent. »

Pilote d'essai d'ULM totalisant plusieurs milliers d'heures de vol, moniteur accoutumé aux tournages les plus extrêmes, Jean-Michel n'avait jamais connu d'expérience aussi émouvante que celle de voler avec des oiseaux.

« Chaque type d'oiseaux a son propre type de comportement en vol. En l'air, ils vous considèrent vraiment comme l'un des leurs. Et nous-mêmes, on arrivait à se prendre pour des oiseaux. Parfois, l'un d'entre eux se rapprochait et nous regardait. On avait l'impression qu'il voulait nous dire quelque chose. Un jour, une oie m'a "parlé" en vol. C'était au-dessus d'une forêt dans le Jura. Les oiseaux étaient en formation trois quarts arrière. À un moment, il y en a une qui est venue à notre hauteur, alors que je volais avec le cinéaste Thierry Machado. Elle nous a regardés, et elle a crié comme pour nous dire de ralentir. Puis elle a repris sa place dans la formation. J'ai alors constaté que j'allais effectivement trop vite. Par radio, Thierry m'a dit qu'il avait ressenti la même émotion que moi. L'oie nous avait bel et bien "parlé". »

Quant à Dominique Gentil, chef opérateur, il confirme :

« J'ai passé trois mois dans les déserts américains pour raconter l'épopée de bernaches du Canada. Il nous a d'abord fallu apprendre à quelle vitesse et à quelle altitude elles volaient pour déterminer comment les approcher et les filmer. »

Que sont devenus tous ces oiseaux au terme des tournages ? Ainsi que s'y était engagé Jacques Perrin, ils ont été confiés, soit à des associations ornithologiques compétentes, et partenaires de Galatée Films, tel le Groupement ornithologique de Normandie (GON), soit à des parcs soigneusement sélectionnés, spécialement ceux ayant fourni les œufs ou les poussins de certaines des espèces concernées. Dans la mesure du possible, le retour à la vie naturelle des oiseaux est demeuré l'objectif prioritaire des responsables des centres d'élevage et d'entraînement d'oiseaux de Galatée Films. Le projet de créer une réserve ornithologique dans le Languedoc-Roussillon entrait également dans ce cadre de suivi des « acteurs » du film pour leurs bons et loyaux services.

Mais dans *Le Peuple migrateur*, ce ne sont pas ces oiseaux qui tiennent la vedette. Les oiseaux sauvages, filmés par des cinéastes animaliers parmi les plus prestigieux, y sont majoritairement présents.

« *Le Peuple migrateur* m'a offert des expériences que je n'aurai jamais connues », se souvient Laurent Charbonnier, cinéaste animalier déjà auteur de films prestigieux. Cet opérateur « sauvage » a rejoint Jacques Perrin, comme

Dépliant :
Tournages aériens dans les ciels
de Normandie, d'Islande
et d'Amérique du Nord...

▲ Tournage en Islande avec les bernaches nonnettes. ▼ Tournage au lac Powell, Arizona, États-Unis.

VU DE LA FREGATE - CHERCHER
L'EFFET DE LA HOULE VOYAGE DIFFICILE
PLAN DE L'ESCADRILLE

PLAN DE QUELQUES UNES

ACCENTUER LES DIFFICULTÉS DU VOL
(BERNACHES ET HAUT DES VAGUES)
TURBULENCES CRÉÉS DU COTÉ
OPPOSÉ AU VENT SUR LA FREGATE

beaucoup d'autres, alors même que celui-ci exigeait, outre une approche cinématographique différente des oiseaux et le respect scrupuleux d'un guide scénaristique, des contraintes techniques inhabituelles pour les animaliers, comme l'emploi exclusif de caméras de 35 mm. Ces « poids lourds » du cinéma, qui pèsent entre 12 et 20 kg, plus 15 kg de batteries et d'accessoires, sont longues de presque 80 cm. Utilisées presque exclusivement pour les longs métrages de fiction, elles ne servent jamais pour des documentaires animaliers réalisés, eux, avec des caméras plus légères et beaucoup moins encombrantes, le plus souvent numériques.

« Les conditions de tournage du *Peuple migrateur*, à la frontière de la fiction et du documentaire, nous ont imposé des contraintes très exigeantes sur le plan technique comme sur le plan physique, se souvient Laurent Charbonnier. Si le scénario avait prévu de la brume ou de la neige, il fallait attendre la brume ou la neige durant des jours, des nuits, dans nos affûts ! Pour être cinéaste animalier, il faut aimer la solitude, le silence, et ne pas craindre l'inconfort. Eh bien là, j'ai été gâté. J'ai tourné presque partout dans le monde des scènes fabuleuses et souvent inédites. Ma plus grande émotion, un immense vol de grues arrivant sur moi dans le soir, au Nebraska. Elles se sont posées dans la brume, ailes écartées, pattes tendues, tout autour de mon affût. Cette scène, filmée le soir et non le matin, comme prévu au scénario, ne m'avait pas été commandée. J'ai

téléphoné à Jacques Perrin, encore tout ému par la beauté de ces images. Il m'a simplement dit : "Bravo ! Ce n'est pas dans le scénario, mais on va quand même l'utiliser." »

Pour réaliser ces images exceptionnelles en vol, sur l'eau ou au sol, les équipes de tournage ont utilisé les meilleures technologies existantes en matière aéronautique. Souvent, après avoir testé tout ce qui vole, y compris les machines les plus bizarres, elles ont dû en inventer de nouvelles, compte tenu des problèmes de sécurité et des restrictions de poids imposées pour ce genre de tournages acrobatiques.

« Nous avons imaginé d'utiliser plusieurs types d'aéronefs, se souvient Jean-Michel Rivaud : hélicoptères, parapentes, planeurs, paramoteurs, ailes delta, ballons, maquettes télécommandées de mini-planeurs ou de mini-hélicoptères emportant des caméras elles-mêmes télécommandées. Chacun de ces engins était adapté à un type particulier d'oiseaux ou de séquences. Ainsi, le paramoteur a été utilisé en Islande au-dessus des falaises de Skrudur, où il a permis des prises de vues hallucinantes. Il convenait bien, également, aux vols planants ascensionnels imprévisibles des cigognes, mais il était inopérant pour les formations d'oies ou de pélicans filant à tire-d'aile. Quant au ballon, on a parfois utilisé un cinébulle, un petit ballon dirigeable portant un opérateur et une caméra. Finalement c'est l'ULM qui a été le plus utilisé. Nous avons fait réaliser un prototype biplace

▲ Bateau-travelling au Sénégal.

Pélicans au Sénégal.

Prêts à décoller.

de visionner à Paris les premières images du
Peuple migrateur. *Des images superbes tournées
en Islande montrant des vols de bernaches filmés
à partir d'un ULM.*

J'ai alors eu comme un déclic : en effet, l'ULM ne
permettrait-il pas d'observer en détail le
comportement d'oies en formation, leur rythme
de respiration, et même de compter leurs
battements d'ailes ? Il suffisait d'équiper ces
oiseaux élevés d'un enregistreur de rythme
cardiaque pour étudier leur dépense énergétique
dans différentes conditions de vol...

L'étude sur les oies ne fut, hélas, pas réalisée,
car leur taille réduite n'aurait pas permis
l'utilisation optimale du matériel. Les pélicans,
d'une taille identique à celle des albatros
– de 7 à 10 kg –, furent donc choisis.

L'étude a été réalisée dans le parc national du
Djoudj au Sénégal. Là, dans la perspective de
futurs tournages, les pélicans étaient entraînés
au vol en formation par une équipe de Galatée
Films. Ils suivaient soit un hors-bord sur un
fleuve, soit un ULM dans les airs.

Nous avons donc, dans un premier temps, mesuré
systématiquement pour chacun des pélicans son
rythme cardiaque de base au repos, qui est de
cinquante à quatre-vingts battements par minute.

La première surprise fut de constater que le
rythme cardiaque, donc la consommation
d'énergie, est plus élevé pour un oiseau qui
marche ou qui nage que pour un oiseau en vol !
Ces deux types d'activités font, il est vrai, appel
à des muscles différents : pectoraux très

développés pour le vol et muscles des pattes pour
la marche ou la nage.

Nous avons aussi découvert que lors des vols
solitaires à l'arrière de l'ULM, en dehors de sa
zone d'aspiration, bien entendu, les oiseaux
battent des ailes à un rythme de plus de
quatre-vingt-dix battements par minute, alors
qu'en formation le rythme des battements d'ailes
est de... soixante-deux en moyenne ! Pendant ces
vols en formation, les oiseaux battent des ailes
soit en synchronie avec le leader du groupe, soit
chacun à la suite de l'oiseau de devant, la vague
de battements partant du leader.

Les mesures du rythme cardiaque effectuées « en
réel » grâce aux enregistreurs électroniques
miniaturisés ont permis de constater également
qu'en formation l'oiseau économisait de 15 à 25 %
d'énergie par rapport à un vol solitaire, et de
25 à 30 % en vol plané pur ! Ces économies
correspondent aux prévisions des modèles
théoriques pour la première fois confrontés à la
réalité. Ces constats ont établi de façon formelle
que les pélicans réalisent une économie
énergétique durant leurs vols en formation, ce qui
doit être le cas lorsqu'ils effectuent des trajets
migratoires, de longs voyages durant lesquels ils
ne peuvent pas s'alimenter, notamment lorsqu'ils
survolent des zones désertiques.

Ces résultats demandent certes à être affinés,
appliqués à d'autres espèces, mais la voie est
ouverte.

Grâce aux oiseaux du Peuple migrateur, l'étude
de l'énergétique du vol est devenue possible.

▲ Au milieu des cygnes chanteurs sur l'île d'Hokkaido, Japon.

Demain, les oiseaux…

> Regardez-les passer, eux, ce sont les sauvages
> Ils vont où leur désir le veut par-dessus monts
> Et bois et mers et vents
> Et loin des esclavages
> L'air qu'ils boivent ferait éclater vos poumons. »
>
> Jean Richepin, *Les Oiseaux de passage*

Crépuscule indien.

Deux aras chloroptères.

Du rêve d'Icare à ceux de Léonard de Vinci, depuis toujours, les oiseaux ont fasciné les hommes. Durant des siècles, ceux-ci se sont acharnés, en vain, à les imiter, s'efforçant de les suivre dans les cieux.

Les oiseaux sont souvent présents dans les plus anciennes mythologies, aux côtés des dieux, quand ils n'étaient pas eux-mêmes déifiés comme le faucon Horus des anciens Égyptiens ou la chouette Minerve des Grecs, le Quetzacoatl des Aztèques ou le simple corbeau des Celtes. Hérodote raconte que le Phénix, aux plumes rouges et dorées, se consumait et renaissait de ses cendres tous les cinq cents ans.

L
es oiseaux,
symbole d'éternité ?

Leurs cultes ont en tout cas longtemps été célébrés dans l'histoire humaine, et ils perdurent encore de-ci, de-là, d'Afrique en Océanie ou des Amériques en Asie, comme si ces compagnons ailés des hommes, discrets, souverainement libres, étaient porteurs de savoirs et de secrets plus anciens que l'humanité elle-même. En tout cas, nombreuses ont été, dans les sociétés dites primitives, les cérémonies célébrant les oiseaux. Si l'on devait n'en citer qu'une, nous évoquerions celle de l'île de Pâques où le culte de l'homme-oiseau s'est perpétué jusqu'à la fin du XIXe siècle.

Les oiseaux, ainsi vénérés depuis les origines de l'humanité, semblent avoir servi d'intermédiaires entre les dieux et les hommes, entre les défunts et les vivants. Jusqu'aux traditions judéo-chrétiennes qui font intervenir, que ce soit dans l'Ancien ou le Nouveau Testament, des anges et des archanges ailés, tels Michel, Raphaël ou Gabriel, chargés de transmettre aux mortels la parole de l'Éternel. On en oublierait presque que ces « messagers des cieux » sont mi-homme… mi-oiseau !

Jusqu'à l'époque moderne, l'équilibre vital entre hommes et oiseaux a été globalement respecté, même s'il a parfois été cruellement compromis, que ce soit pour des raisons économiques, tels les prélèvements massifs de volatiles à des fins alimentaires, ou par des décisions politiques insensées, comme celle du président Mao, lequel,

dans les années 50, avait ordonné aux paysans d'éliminer tous les moineaux de Chine afin de protéger leurs récoltes.

Hormis ces « bavures », auxquelles il faudrait hélas ajouter aujourd'hui même certaines hécatombes dues à des chasses déraisonnables, les relations de l'homme avec la gent ailée sont demeurées, durant des millénaires et jusqu'à ces dernières décennies, empreintes d'un certain respect, sinon animées d'une réelle volonté de préserver l'environnement et d'assurer la pérennité de l'avifaune.

Qu'en est-il aujourd'hui ? Avec l'explosion démographique, l'industrialisation et l'urbanisation sans frein de la planète, entraînant pollution et diminution des espaces naturels, le territoire des oiseaux se réduit d'année en année. Comme le *Peuple migrateur* nous le montre sans fard, ils sont aujourd'hui menacés comme ils ne l'ont pas été durant les millions d'années qu'ils habitent sur la terre.

Que le film de Jacques Perrin, comme les lignes qui précèdent, nous aide à mieux comprendre les oiseaux, à mieux les aimer pour mieux les protéger ! Si ceux-ci ne sont peut-être pas, ou plus, les messagers des dieux, qu'ils restent au moins pour nous ceux du bonheur, eux qui sont venus de si loin, bravant tous les périls, pour nous livrer le fascinant secret de la joie de survivre.

Deux manchots royaux en route pour le grand large, îles Malouines.

le ministère de l'Environnement, Sigmundur
Einarsson, Ingimar Sigurdsson ; le ministère de
l'Agriculture, chef vétérinaire, Halldor Runolfsson,
Jarle Reiersen ; Baldur Kafnasson, Einar O. Thorleifsson.

ITALIE

L'Institut national de biologie de la faune sauvage,
Alessandro Ghi, Fernando Spina.

POLOGNE

Le ministère de l'Environnement, Janusz Radziejowski.

RUSSIE

All-Russian Research Institute for Nature Protection,
M. Alexander G. Sorokin ; Ministry of Protection of
the Environment and Natural Resources Russian
Federation et Mme Anastassia Shilina, le directeur de
la réserve de Biosphère d'Oka, Dr Yuri M. Markin.
En souvenir de M. Vladimir Pachenko.

SUISSE

Le département fédéral de l'Environnement, des
Transports, de l'Énergie et de la Communication ;
l'Office fédéral de l'Aviation civile,
Maurice Lenenberger.

AMÉRIQUE DU NORD

CANADA

Le service canadien de la Faune, Jean-Yves Charrette,
Vicky Johnston, Lise Dussault.
Québec : le département de Biologie et centre
d'études nordiques de l'université de Laval ; professeur
Gilles Gauthier ; la réserve naturelle de Cap-Tourmente,
Serge Labonte ; le parc national Forillon,
Jean-Guy Chavarie ; le parc de l'île Bonaventure et du
Rocher-Perce, Chantal Bourget ; professeur Jacques
Larochelle ; Quentin Van Ginhoven ; Martin Dignard.
Nunavut : Nunavut Impact Review Board ; Nunavut
Research Institute, Mary Ellen Thomas ; Étude du
plateau continental polaire ; les Parcs nationaux
canadiens ; Siqmillik National Park – Bylot Island.

ÉTATS-UNIS

United States Department of Agriculture, Sara Kaman,
Dr Kay W. Wheeler ; Fédéral Aviation
Administration, Al Pereira, Ted Disantis ; US Fish
and Wildlife ; Immigration Department.
Bill Lishman ; Partners Animal Institute – USA.
Leighton Pakes ; Milt's Menagerie, Valley Springs
USA, M. Milton Scholten.
New York : Mayor's Office of Film, Theater and
Broadcasting City of New York ; Adirondack
Regional Tourism Council, Project Director Liberty
State Park, Ann Melious et Brenda Mc Kinley ; Safety
and Training United States Ultralight Association,
Inc., Tom Gunnarson ; Laguardia Air Traffic Control
Tower, Michael J. Sammartino, Cecilia Castro.
Oregon : Department of Zoology, North Dakota State
University, Gary L. Nuechterlein ; Klammath Falls

Chamber of Commerce, Brian Baxter.
Utah : Utah Film Commission ; Utah Travel Council,
Tracie Cayford, Ken Kraus ; Biologist Victoria Roy.
Idaho : Idaho Department of Fish and Game,
Jack Connelly ; Colorado Division of Wildlife
Research Center, Clait E. Braun.
Nebraska : Nebraska Film Office, Laurie Richards ;
International Cranes Foundation, George Archibald ;
The Rowe Sanctuary, Paul Tebbel, Lilian Annette.
Alaska : Alaska Film Office, Mary Pignalberi et
Julie Ford ; US Forest Service, Mary Anne Bishop ;
Alaska Chilkat Bald Eagle Preserve, Bill Zack ;
Pacific Northwest Research Station ; Cooper River
Delta Institute.
Arizona : Arizona Film Commission ; the Tucson Film
Office Commission, Peter and Chelly ; the Bureau of
Land Managment ; Glen Canyon National Recreation
Area (Powell Lake), Lynn Picard, Park Ranger ; Tonto
National Forest (lake Roosevelt).
Montana : Montana Film Office, Sten Iversen ;
Freezout Lake Wildlife Management area,
Mark Schlepp ; Ralph & Kathleen Waldt.
Colorado : Navajo Nation Film Office (Monument
Valley), Kee Long ; Hualapai Indian Reservation
(grand canyon), Sandra Yellowhawk et Michelle.
Dakota : département de zoologie de l'université
North-Dakota, Gary L. Nuechterlein.

AMÉRIQUE DU SUD

ARGENTINE

Le parc national Nahuel Huapi ; Don Andres
Domingo, La Buitrera ; l'association ornithologique
de La Plata, Santiago Krapovickas. Juan José Arenas
et Don Andres Domingo ; Luis Noberto Jacome et
Sergio Lambertucci.

CHILI

Le parc national Torres Del Paine.

ÎLES FALKLAND

Falkland Island Government, Donald A. Lamont,
gouverneur ; New-Island Parks Reserves, Ian Strange,
Tony Chater ; Jason Island, Carcass Island,
Rob Mc Gill.

PÉROU

Inrena, l'Institut national des ressources naturelles ;
Rainforest Expeditions, Luis Zapater, Guillermo Knell ;
le centre de recherche de Tambopata.

AFRIQUE

KENYA

African Latitude, Michel et Robyn Laplace-Toulouse.

LIBYE

Mohamed Ahmed Alaswad, ambassadeur délégué
permanent de la Libye auprès de l'UNESCO ;
le ministre du Tourisme, M. Boukhari ;

le Dr Fathi M. Elmusrati, le Dr Aymen Seif Ennasir ;
le ministère des Transports, Bachir Emar ; Libyan
Airlines, M. Adem Abdoulmagid ; les Services
vétérinaires libyens et le zoo de Tripoli,
le Dr Jumma Haluai ; Zawia Travels.

MALI

Le ministère de la Culture et du Tourisme du Mali ;
le Centre national de production cinématographique
du Mali, M. Youssouf Coulibaly ; Ladji Diakite,
Sidi Becaye Traore.

MAURITANIE

Le ministère de l'Information, Abdallahi ould
Loudaa ; le ministère de la Communication,
Rachid Ould Saleh ; la direction de l'Aviation civile,
Boirick Ould Gharve ; le parc national du Banc
d'Arguin, Mohamed Ould Bouceif ; la Fondation
internationale du Banc d'Arguin (FIBA), Luc Hoffman,
et le conseiller scientifique Jean Worms.

SÉNÉGAL

Djoudj : le ministère de la Culture et de la
Communication, Mamadou Diop de Croix ;
le ministre de l'Environnement, M. Lamine Ba ;
le ministère de l'Équipement et des Transports ;
la Direction des parcs nationaux du Sénégal ;
Mme Aïda Ba ; le parc national des oiseaux du Djoudj,
le commandant Souleye Ndiaye, le commandant
Demba Mamadou Ba, le colonel Sara Diouf,
le capitaine Ibrahim Diop, le lieutenant Sidibe,
Indega Bindia.

ASIE

CORÉE DU SUD

Le département des sciences naturelles de l'université
Kyungnam, Pr Kyu-Hwang Hahm ; l'Institut
d'ornithologie de Corée ; l'université de Kyung Hee,
Pr Seong-Hwan Pae.

INDE

Keoladeo National Park Bharatpur,
Mme Shruti Sharma, Bholu Khjan.

JAPON

Hokkaido : Wild Bird Society of Japon, Turui-Itoh
Tanchou Sanctuary, John O. Albersten ;
East-Hokkaido, National Park et Wildlife,
Yulia Momose ; Akkeshi Marine Biological Station,
Testuro Kaji, Osamu Harada.

NÉPAL

Le gouvernement de Sa Majesté du Népal ;
le ministère de la Culture ; Department of National
Parks et Wildlife Conservation ; Summit Trekking,
Kit Spencer et Amar, les habitants de la ville
de Kagbeni.

PHILIPPINES

Birds International Incorporated,
M. Antonio M. De Dios

VIETNAM
Le Ministère de la Culture et de l'Information ;
le Studio n° 1 Hanoï, le Centre d'étude pour
l'environnement et les ressources naturelles.

LISTE DES PARTENAIRES SCIENTIFIQUES
Muséum national d'histoire naturelle, parc
zoologique de Paris, bois de Vincennes,
Pr Jean-Jacques Petter, M. Jean-Louis Deniaud ;
ménagerie du Jardin des Plantes, Jacques Rigoulet,
Laboratoire de biologie parasitologie, Annie Petter et
Odile Bain ; bibliothèque mammifères et oiseaux,
Évelyne Bremond et Jean-Marc Bremond ; Muséum
national d'histoire naturelle, Cleres, Dr Ing
A. Hennache ; Muséum d'histoire naturelle de Dijon,
Dominique Geoffroy, Groupe de recherche en
écologie arctique, Brigitte Sabard, Olivier Gilg ;
Muséum d'histoire naturelle de Lille, M. Yves
Gometou, laboratoire du CNRS de Chize, CEBC,
M. Henry Weimerkirsch ; laboratoire du CNRS de
Strasbourg, M. Yvon Le Maho ; laboratoire
départemental et d'analyses, Dr J. P. Buffereau ;
Conservatoire des sites lorrains, M. Alain Salvi ; parc
zoologique de Villars-les-Dombes, Bernard Fulcheri,
Éric Bureau, Jean-François Lefèvre ; le parc du
Marquanterre : Nicolas Durand ; Jardin des oiseaux,
M. Liauzu ; parc de Saint-Martin-de-la-Plaine,
MM. Thivillon et Boussekey ; zoo de Doué-la-
Fontaine, MM. Pierre Gay, Brice Lefaux ; zoo de
l'Orangerie, M. Claude Rink ; jardin zoologique de
Tregomeur, M. Arnoux ; parc zoologique de Cleres,
M. Jean Delacour, Alain Hennache, Michel St James ;
Safari parc de Paugres, Christelle Vitaud ; parc
ornithologique Ker Anas, Philippe Rambaud ; parc
de Branfere, Fondation de France, M. Y. Philippot ;
Dr Éric Plouzeau ; M. Jean-Philippe Varin, Jacana
Wildlife Studio ; M. Michel Beaurin ; M. Gibouin ;
M. Michel Ledoux ; Dr Henri Quinque ; M. Terran ;
M. Wilman, Top Duck et Michel Beaurin.

**LISTE DES MINISTÈRES
ET ORGANISMES OFFICIELS**
Le secrétariat général de l'Élysée, Dominique
de Villepin ; le ministère des Affaires étrangères :
la direction des Affaires africaines et malgaches, et
son directeur, J. D. Roisin ; la sous-direction
Amérique latine et son directeur, J. M. Laforêt ; la
direction Asie et Océanie ; le conseiller technique
pour le Vietnam, J. B. Lesecq ; le ministère de
l'Équipement, des Transports et du Logement, le
ministre Jean-Claude Gayssot et le chargé de mission
Bernard Vasseur ; le secrétariat d'État à la
Coopération, le ministre Charles Josselin.
La Commission européenne, la direction de
l'Environnement, Delphine Malard, administrice ;

le consulat des États-Unis à Paris, Anne Syret
(Chief visa officer).

LES AMBASSADES
Nous remercions l'ensemble des ambassades de
France à l'étranger et des ambassades étrangères en
France, et particulièrement : l'ambassade de France
en Islande et son ambassadeur, Rob Cantoni ;
l'ambassade de France aux Etats-Unis et Véronique
Godard du service audiovisuel ; l'ambassade de France
au Pérou ; l'ambassade et le consulat du Pérou en
France ; l'ambassade de France en Mauritanie,
l'ambassadeur Jean-Paul Taix et le premier secrétaire
Martin Juillard ; l'ambassade de France en Libye,
l'ambassadeur Josette Dalland ; l'attaché culturel
Benoît Deslandes ; l'ambassade de France au Népal,
l'ambassadeur, M. Ambrosini ; l'ambassade des
États-Unis au Népal, l'ambassadeur Ralph Franck ;
l'ambassade de France à Tokyo, Moriyuki Motono ;
l'ambassade de France au Vietnam, l'ambassadeur
M. Serge Degallaix ; l'attaché militaire, le colonel
Protar, l'attaché audiovisuel, M. Olivier Delpoux ;
l'ambassade de France en Suède, l'ambassadeur,
Patrick Imhaus.

LES SPONSORS
Bateaux Jeanneau, Roland Fardeau et Pierre André ;
Citroën, Yves Boutin et Isabelle Seyller ;
Établissements Guy Cotten, Guy Cotten et Lionel
Guiban ; Kodak ; Matra-Auto, Enzo Garavelloni ;
Nikon ; Objectif Bastille ; Le Vieux Campeur ;
Yamaha Motor France, Denis Ricard et
Patrick Jacquin ; Zodiac international, Pierre Barbleu.

LISTE DES COPRODUCTEURS FRANÇAIS
Les productions de La Guéville ; Bac films ;
France 2 Cinéma ; France 3 Cinéma.

**LISTE DES COPRODUCTEURS
ÉTRANGERS**
Pandora Films/Allemagne, Karl Baumgartner,
Reinhard Brundig ;
Les Productions JMH/Suisse, Jean-Marc Henchoz ;
Wanda Vision/Espagne, José-Maria Morales ;
Eyescreen/Italie, Andrea Occhipinti.

LISTE DES PARTENAIRES
Canal + ; EDF, le président François Roussely ; le
Crédit agricole, le directeur de la communication
Didier Blaque-Belair et Pierre Moulies ; la COFACE,
François David ; Lufthansa German Airlines, le
directeur de la communication Lutz Lammerhold,
Claudia Ungeheuer et Christoph Potting (Ahrens &
Behrent) ; Primagaz, Alain Rousseau ; Airbus ; OBC,
Didier Kunstlinger ; Cofiloisirs, Denis Offroy

et Nicole Hyde ; le Centre national
de la cinématographie ; la Procirep ; la fondation
GAN pour le cinéma ; la Commission européenne
(direction générale de l'Environnement) ;
le Fonds Eurimages du Conseil de l'Europe ;
le Muséum d'histoire naturelle, son administrateur,
M. Moreno, le directeur de l'audiovisuel, J. P. Baux ;
World Wildlife Fondation ; la Ligue pour
la protection des oiseaux.

VENTES À L'ÉTRANGER :
Jacques E. Strauss - Président films.

Et un remerciement tout particulier à Gérard Vienne,
tout commença à ses côtés avec *Le Peuple singe*.

**CONCOURS PHOTOGRAPHIQUE
COMPLÉMENTAIRE**
Patrick Chauvel, Luc Coutelle, Philippe Garguil,
Aude Mesnil, Christophe Pottier et Michel Terrasse.

Toutes les photographies ont été réalisées
avec des boîtiers F-100 Nikon
et la gamme d'objectifs Nikon.

Cinéma et Télévision

Crédits photographiques

Laurent Charbonnier : 37, 268e.

Patrick Chauvel : 235 haut, 246cg.

Jacques Cluzaud : 80-81.

Luc Coutelle : 120-121, 146-147, 207 gauche, 254 haut.

Marc Cremades : 226a, 251 bas, 268h.

Renaud Dengreville : 18-19, 38, 58-59, 68-69, 79, 95, 100-101, 116-117, 118-119, 140, 142-143, 150-151, 153, 158-159, 160-161, 164-165, 199, 201, 202-203, 216 gauche, 226e, 229 haut, 232c, 241 haut, 246af, 249a, 251 haut, 268b, dépliant 4c.

Jean-Patrick Deya : 266h.

Christiane D'Hôtel : 246b.

Stéphane Durand : 268c.

Philippe Garguil : 32-33, 35, 186, 187, 268g.

Frédéric Labrouche : 227 haut.

Michel Laplace-Toulouse : 222 bas.

Toinette Laquière : 239 haut.

Paola Luttringer : 232b.

Renan Marzin : 41, 48a, 104-105, 125, 131, 174-175, 222 haut, 232d, 240bd, 247, 250, 253, 267acd.

Aude Mesnil : dépliant 2b.

Johann Mousseau : 267f.

Christophe Pottier : 24-25, 54-55, 56-57, 172-173, 176-177, 179, 184, 220, 246d, 266f, 267e, 268d.

Guillaume Poyet : 36, 47, 48bc, 49, 51, 64-65, 83, 84-85, 87, 91, 99, 106-107, 130, 132-133, 134, 135, 168-169, 170-171, 178, 180-181, 182-183, 185, 188, 189, 190, 191, 192, 193, 197, 206 droite, 210 gauche, 212 droite, 213, 217 milieu, 226g, 257 bas, 259, 260-261, 263, 265, dépliant 1, dépliant 3abc.

Mathieu Simonet : pages de garde, 2, 4-5, 6-7, 8-9, 10-11, 12-13, 15, 16-17, 20-21, 22-23, 26-27, 28-29, 30-31, 39, 42, 43, 45, 46, 50, 52-53, 60-61, 62-63, 66-67, 70-71, 72-73, 74-75, 76-77, 78, 88-89, 93, 96, 97, 102-103, 108-109, 110-111, 112-113, 114-115, 122-123, 126, 128ab, 129, 136-137, 138-139, 141, 144-145, 148-149, 152, 154-155, 156-157, 162-163, 166-167, 194-195, 205, 206 gauche, 207 droite, 210 milieu, 210 droite, 216 droite, 217 gauche, 217 droite, 222 milieu, 223, 224-225, 226bcdf, 227 bas, 229 bas, 231, 232aefg, 233, 235 bas, 236, 239 bas, 240ace, 241 bas, 243, 245, 246e, 249bcd, 254 bas, 255, 257 haut, 262, 266abcdeg, 267bh, 268af, 270, 271, dépliant 2acd, dépliant 3d, dépliant 4abd.

Michel Terrasse : 82, 212 gauche, 267g.

Aquarelles de Damien Chavanat : 234, 248.

Cartographie : Édigraphie, Rouen.

Dessins extraits du storyboard d'Olivier Cheres : 230, 238, 242, 244.

Direction éditoriale : Jean-Claude Guillebaud
et Claude Hénard
Direction artistique : Valérie Gautier
Suivi de fabrication : Charlotte Debiolles

Photogravure : IGS, 16 340 L'Isle-d'Espagnac
Achevé d'imprimer sur les presses de IME,
25 110 Baume-les-Dames (15300)

Dépôt légal : Novembre 2001 - n° 50566-3